NOUVELLES ITALIENNES
D'AUJOURD'HUI

**NOVELLE ITALIANE
DI OGGI**

Langues pour tous

Collection dirigée par Jean-Pierre Berman, Michel Marcheteau et Michel Savio

ITALIEN

☐ Pour débuter ou tout revoir
   • **40 leçons pour parler italien** ●● Ⓒᴰ
☐ Pour se perfectionner et connaître l'environnement :
   • **Pratiquez l'italien** ●● Ⓒᴰ
☐ Pour se débrouiller rapidement :
   • **L'italien tout de suite !** Ⓒᴰ
☐ Pour aborder la langue spécialisée :
   • **L'italien économique et commercial**
☐ Pour s'aider d'ouvrages de référence :
   • **Grammaire italienne pour tous**
   • **Dictionnaire de l'italien d'aujourd'hui**
   • **Vocabulaire de l'italien moderne**
☐ Pour prendre contact avec des œuvres en version originale :
   • **Série bilingue :**

➡ Niveaux : ☐ facile (1ᵉʳ cycle) ☐☐ moyen (2ᵉ cycle) ☐☐☐ avancé

Buzatti Dino : • Nouvelles ☐☐

• **Nouvelles italiennes d'aujourd'hui** ☐☐
   V. Brancati, D. Buzati, I. Calvino, G. Celati,
   A. Moravia, L. Pirandello, L. Sciascia.

• **100 ans de prose italienne** ☐☐☐
   I. Svevo, E. Vittorini, T. Landolfi, etc.

●● Ⓒᴰ = Existence d'un coffret : Livre + K7 + CD / Ⓒᴰ ou seul.
Attention : K7 ou CD ne peuvent être vendus séparément du livre.
➡ Le livre seul est disponible.

Autres langues disponibles dans les séries de la collection **Les langues pour tous** :
ALLEMAND - ANGLAIS - AMÉRICAIN - ARABE - CHINOIS - CORÉEN - FRANÇAIS
GREC - HÉBREU - ITALIEN - JAPONAIS - LATIN - NÉERLANDAIS - OCCITAN
POLONAIS - PORTUGAIS - RUSSE - TCHÈQUE - TURC - VIETNAMIEN

NOUVELLES ITALIENNES D'AUJOURD'HUI

NOVELLE ITALIANE DI OGGI

Dino Buzzati • Gianni Celati • Giovanni Verga •
Vitaliano Brancati • Alberto Moravia • Italo Calivno
• Leonardo Sciascia • Luigi Pirandello

Choix, traduction et notes par
Éliane DESCHAMPS-PRIA
Agrégée de l'Université

Dino Buzzati, *Lettera d'amore*
© Mondadori 1971, extraite du recueil *Le rêve de l'escalier*,
traduction française Éditions Robert Laffont SA, 1973.

Gianni Celati, *Una prima della fine del mondo*
© Feltrinelli, Mialno, 1985, tratto da *Narratori delle pianure*.

Vitaliano Brancati, *Storia di un uomo che per due volte non rise*
© Gruppo Editoriale Fabbri-Bompiani, Sonzogno, Etas SpA, 1946,
tratto da *Il vecchio con gli stivali e altri racconti*.

Alberto Moravia, *Il quadro*
© Gruppo Editoriale Fabbri-Bompiani, Sonzogno, Etas SpA, 1956,
tratto da *Racconti surrealisti e satirici*.

Italo Calvino, *L'Entrata in guerra*
© Einaudi 1958, tratto da *I racconti*.

Leonardo Sciascia, *Western di cose nostre*
© Einaudi 1973, tratto da *Il mare colore del vino*,
extrait du recueil *La mer couleur de vin*,
traduction française Éditions Denoël, 1977.

Luigi Pirandello, *Tutt'e tre*
© Mondadori 1937, tratto da *Novelle per un anno*,
extrait de *Nouvelles pour une année*,
traduction française de G. Piroué et H. Vallot, Éditions Gallimard.

© Langues pour tous - Pocket, département d'Univers Poche, 1996
pour la traduction, les présentations et les notes.
Nouvelle édition juillet 2004.
ISBN : 2-266-13611-9

Sommaire

L'AUTEUR

Éliane DESCHAMPS-PRIA agrégée d'italien, ancienne élève de l'École Normale Supérieure de Fontenay-aux-Roses, professeur d'italien en classe préparatoire et chargée de cours à l'Université de Caen (en retraite).

TRADUCTIONS

E. BARBA et N. SAVARESE, *Anatomie de l'acteur*, Bouffonneries, 1986.

Umberto ECO, *De Bibliotheca*, éd. L'Échoppe, 1987.

MICHEL-ANGE, *Lettres familières*, éd. L'Échoppe, 1989.

G. A. BORGESE, *Eva* (nouvelles), Desjonquères, 1988.

Lucio MASTRONARDI, *L'instituteur de Vigevano*, Quai Voltaire, 1991.

G. CELATI, *Quatre nouvelles sur les apparences*, Flammarion, 1993.

E. BARBA, *Le canoë de papier*, Bouffonneries, 1993.

G. CELATI, *La mort d'Italo*, revue Europe, n° 815, mars 1997.

Comment utiliser la série « Bilingue » ?

Cet ouvrage est destiné à ceux qui ont déjà une certaine connaissance de la langue italienne et désirent améliorer et enrichir cette pratique par le biais de textes littéraires.

Les textes sont choisis et ordonnés selon une difficulté croissante qu'il serait opportun de respecter, car les notes grammaticales ne seront pas répétées et s'estomperont peu à peu au profit d'informations portant sur la civilisation et la littérature.

Pour le reste, chacun trouvera la méthode qui lui convient le mieux. Nous pourrions peut-être suggérer : une première lecture du texte italien, puis le retour au texte avec lecture des notes et de la traduction chaque fois que cela est nécessaire. Nous ne prétendons pas donner de ces nouvelles la meilleure traduction possible, mais celle qui permet le mieux de saisir le fonctionnement des structure de la langue italienne, quitte à préciser en note les excès ou les défauts de fidélité.

Ce choix de nouvelles permettra de découvrir des textes rares, voire inédits, des auteurs italiens les plus célèbres, mais aussi quelques auteurs peu connus ou mêmes inconnus du public français.

E.D.P.

Signes et principales abréviations utilisés dans les notes

△	attention à...	*m.à m.*	mot à mot
▲	faux ami	*masc.*	masculin
≠	antonyme, contraire	*nég.*	négatif
		plur.	pluriel
adj.	adjectif	*pop.*	populaire
adv.	adverbe	*p. p.*	participe passé
art.	article	*préf.*	préfixe
Cf.	confer, voir	*prép.*	préposition
cond.	conditionnel	*prés.*	présent
compl.	complément	*pron. pers.*	pronom personnel
expr.	expression	*p. s.*	passé simple
fém.	féminin	*rég.*	régulier
ind.	indicatif	*sing.*	singulier
intrans.	intransitif	*subj.*	subjonctif
inv.	invariable	*subst.*	substantif
irrég.	irrégulier	*syn.*	synonyme
litt.	littéraire	*v.*	verbe

DINO BUZZATI
(Belluno 1906 - Milan 1972)

Lettera d'amore

Lettre d'amour

Journaliste de profession mais aussi peintre et dessinateur, il a élargi son œuvre au cinéma, au théâtre, aux livrets d'opéra, à la bande dessinée.

On l'enfermerait peut-être trop vite dans le genre fantastique si on ne retenait de lui que ses nouvelles : *Il crollo della Baliverna* (1954) (L'écroulement de la Baliverna), *Il colombre* (1966) (Le K.), *Le notti difficili* (1971) (Le rêve de l'escalier), *I misteri d'Italia* (1978) (Mystères à l'italienne).

Mais le monde qui l'habite devient plus angoissant, plus absurde et même pathétique si on relit, outre le très célèbre *Il deserto dei Tartari* (1940) (Le désert des Tartares), *Barnabò delle montagne* (1933) (Barnabò des montagnes), *Il grande ritratto* (1960) (L'image de pierre), *Un amore* (1963) (Un amour) et surtout son journal intime *In quel preciso momento* (1963) (En ce moment précis).

On l'a dit influencé par Kafka, Edgar Poe, Julien Gracq mais il l'était sans doute aussi par le surréalisme français.

Sono finalmente ritornato, tesoro, ed ora aspetto che tu mi raggiunga. Nell'ultima tua[1] lettera, che ho avuto un mese fa[2], dicevi appunto che non potevi più vivere senza di me[3]. Ti credo, perché uguale è il sentimento mio. Non è come un'attrazione fatale, quasi un castigo ?

Di solito[4], tra uomo e donna, soltanto uno dei due si innamora. L'altro, o l'altra, accetta, o subisce[5]. Nel nostro caso, meravigliosamente, la passione è pari[6] in entrambi. Pazzi tutti e due[7]. Ciò è bellissimo ma fa anche paura. Siamo come due foglie furiosamente sospinte[8] l'una verso l'altra da[9] opposti[10] venti. Che cosa accadrà[11] quando si incontreranno ?

Questa lettera impiegherà quarantotto ore a raggiungerti[12]. Da[13] vari[14] mesi, lo so[15], tu ti tieni[16] pronta a partire, hai le valigie fatte, hai già preso commiato dagli amici. Per arrivare qui ti ci vorranno[17] un paio di giorni. Mettiamo che tu parta sabato. Tra[18] quattro giorni, cioè lunedì, a cominciare dall'[13] alba, io ti aspetto.

Come sarà la nostra vita ? In questi anni di lontananza, continuamente ho meditato sulla nostra futura esistenza in comune. Ma non riuscivo mai a rappresentarmi chiaramente le cose. Ogni volta, a[19] sconvolgere il lavoro dell'immaginazione, irrompeva il selvaggio desiderio di te.

Oggi, approfittando di una insolita pausa di calma, sento però il bisogno di prospettarti[20] certe cose. Non che ci sia bisogno di persuaderti[20].

---

1. ▲ l'ordre des mots ; i primi due giorni.
2. ▲ expression du temps. **Fa** *(cela fait)* est invariable et toujours placé après l'expression indiquant la durée.
3. **senza** suivi d'un pronom se construit avec la prép. **di**.
4. **solito** adj. : *familier, habituel.* E' sempre la solita storia : *c'est toujours la même histoire.* Porta le solite scarpe : *il porte ses éternelles chaussures.* Ici expr. adverbiale.
5. deux types de v. en **-ire** que rien ne permet de distinguer a priori :
   1. aprire : apro, apri, apre...
   2. finire : finisco, finisci, finisce... ; capire : capisco...
6. **pari** a deux sens : 1. *pair* ≠ dispari ; 2. *semblable.*
7. ces deux expr. sont syn. ▲ **tutti e due, tutte e due** (fém.).
8. p.p. irrég. de **(so)spingere**. Id. pour respingere : *repousser* : respinto.
9. **da** traduit aussi le compl. d'agent *par.*

12

Enfin je suis revenu, mon trésor, et maintenant j'attends que tu me rejoignes. Dans ta dernière lettre, que j'ai reçue voici un mois, tu disais justement que tu ne pouvais plus vivre sans moi. Je te crois parce que j'éprouve le même sentiment. N'est-ce pas comme une attirance fatale, presque un châtiment ?

D'habitude, entre homme et femme, seul l'un des deux est vraiment amoureux. L'autre accepte ou subit. Dans notre cas, c'est merveilleux, la passion est égale chez l'un et l'autre. Nous sommes fous tous les deux. C'est magnifique mais un peu effrayant aussi. Nous sommes comme deux feuilles poussées l'une vers l'autre par des vents contraires. Que se produira-t-il quand elles se rencontreront ?

Cette lettre va mettre quarante-huit heures pour te parvenir. Je sais que depuis plusieurs mois tu es prête à partir, tes valises sont faites, tu as déjà pris congé de tes amis. Pour arriver ici il te faudra deux jours. Mettons que tu partes samedi. Dans quatre jours, c'est-à-dire lundi, dès l'aube, je t'attends.

Que sera notre vie ? Je n'ai pas cessé, pendant ces années de séparation, de penser à notre future existence commune. Mais je ne parvenais jamais à me représenter clairement les choses. Chaque fois, un désir sauvage de toi surgissait et venait bouleverser le travail de l'imagination.

Aujourd'hui, profitant d'un moment de calme inaccoutumé, je sens pourtant le besoin de t'exposer certaines choses. Certes, il n'est pas nécessaire de te convaincre.

---

10. p.p. irrég. de **(op)porre** : *opposer*. Même irrég. pour comporre, deporre, supporre, disporre...

11. futur irrég. de **(ac)cadere** ; id. potrà, andrà...

12. ⚠ le pron. compl. s'accroche à l'infinitif.

13. ici **da** indique l'origine, la provenance.

14. **vario** : varié. Au pl. a souvent le sens de *plusieurs, divers*.

15. **sapere** prés. : **so, sai, sa, sappiamo, sapete, sanno**.

16. **tenere** prés. : **tengo, tieni, tiene, teniamo, tenete, tengono**.

17. *il faut* + nom : **ci vuole** (è necessario). Le nom est donc sujet et le v. s'accorde : ci vuole pazienza con lui ; mi ci volevano due ore. **Vorranno** : futur irrég. de **volere**.

18. ⚠ autre expr. de temps. **Tra** (ou fra) poco arriverà.

19. l'ordre logique de la phrase serait : il desiderio irrompeva a sconvolgere. ⚠ Lorsque les v. de mouvement sont construits avec un infinitif celui-ci est précédé de la prép. **a**. Veniva a trovarmi. Correva nella casa a nascondersi.

20. voir note 12 ci-dessus.

Guai se ci fosse ancora, in te o in me, un'ombra di dubbio. Ma, rileggendo queste pagine, io penso, durante il viaggio, potrai misurare, e assaporare ancora una volta, l'opportunità della tua, e mia, irrevocabile scelta.

Vorrei cioè[1], prima che sia troppo tardi, considerare le[2] rispettive qualità e difetti, le[2] rispettive situazioni, gusti, abitudini, desideri. I quali realizzano, te ne sei mai resa[3] conto ?, una coincidenza[4] fortunata come non mai.

Per cominciare, la[2] posizione sociale. Tu, professoressa di francese alle scuole medie, io produttore di vini. Io, operatore economico, come si usa[5] dire, e tu intellettuale. Difficilmente, per fortuna, potremo intenderci fino in fondo, rimarrà[6] sempre una barriera, una cortina[7] di separazione che la buona volontà, da una parte o dall'altra, non potrà mai superare.

Pensa al problema degli amici, per esempio. I miei amici sono gente[8] civile e brava, però semplice. Non intendo dire proprio[9] ignoranti, c'è tra gli altri un noto[10] avvocato, un dottore in agricoltura, un maggiore in pensione. Ma nessuno ha problemi complicati, in genere amano la buona tavola, e non sono contrari, te lo assicuro, alle storielle un po' grasse. In loro compagnia, mi par[11] già di vederti, farai dei gran[12] sbadigli, dissimulati magari[13], data[14] la tua raffinata educazione. E ben difficilmente ti ci abituerai. Tu sei una creatura piena di temperamento, la pazienza e la tolleranza del prossimo non sono il tuo forte, anche per questo ho perso[15] la testa per te.

---

1. m. à m. : *cela est* = *c'est-à-dire*. Souvent employé pour souligner ou expliciter une affirmation.
2. le poss. est omis chaque fois qu'il n'est pas nécessaire.
3. p.p. irrég. de **rendere ; rendersi conto**.
4. dans le vocabulaire ferroviaire : *correspondance*. Étant donné le retard fréquent des trains en Italie il faut retenir le sens de ce mot.
5. ⚠ *utiliser*, d'où *utiliser couramment, avoir l'habitude*. Usavano viaggiare di notte.
6. futur irrég. de **rimanere**. Même irrég. pour venire : verrà ; volere : vorrà ; tenere : terrà...
7. *rideau*.
8. ⚠ **la gente** est toujours singulier.
9. 1. *vraiment, tout à fait, bien* (dans phrase affirm.) Sono **proprio contento** ; 2. *pas du tout* (dans phrase nég.).
10. cf. *notoire, notoriété*.

Gare s'il y avait encore entre nous l'ombre d'un doute. Mais je pense que lorsque tu reliras ces pages pendant ton voyage, tu pourras mesurer et savourer, une fois de plus, la pertinence du choix irrévocable que nous avons fait l'un et l'autre.

Je voudrais donc, avant qu'il ne soit trop tard, envisager nos qualités et nos défauts respectifs, nos situations respectives, nos goûts, nos habitudes, nos désirs, qui forment, l'as-tu jamais remarqué ? une coïncidence des plus heureuses.

Pour commencer, notre position sociale. Toi, professeur de français dans un collège, moi, producteur de vin. Moi, agent économique, comme on a coutume de dire, et toi, intellectuelle. Nous aurons du mal, par bonheur, à nous entendre parfaitement : il restera toujours une barrière, une cloison de séparation que la bonne volonté de part et d'autre ne pourra jamais surmonter.

Pense au problème des amis, par exemple. Mes amis sont de braves gens, bien élevés mais simples. Je ne veux pas dire à proprement parler ignorants : il y a parmi eux un avocat connu, un licencié en agronomie, un major en retraite. Mais aucun d'eux ne se pose beaucoup de questions ; en général ils aiment la bonne chère et ils ne dédaignent pas, je t'assure, les histoires un peu lestes. En leur compagnie, je te vois déjà, tu auras de grands bâillements, sans doute dissimulés, étant donné ton éducation raffinée. Tu auras bien du mal à t'y habituer. Tu es une femme de tempérament, la patience et l'indulgence envers ton prochain ne sont pas ton fort, c'est une des raisons qui m'ont fait perdre la tête pour toi.

---

11. *il me semble :* **mi pare** (v. **parere**).
12. **grande** s'emploie parfois sous sa forme apocopée **gran** (devant une consonne) ou élidée : **grand'amico** (devant une voyelle).
13. impossible de donner un équivalent précis de ce mot qui a une multitude de sens.
14. ▲ emploi absolu du p.p., l'aux. au gérondif est sous-entendu. Cf. note 17 p. 49.
15. **perdere** a deux p.p. : **perduto** (rég.) et **perso** (irrég.).

Ora senti una cosa, anche se non c'entra[1] : se tu riuscissi a partire col primo treno di sabato, così da[2] poter essere qui entro[3] domenica sera, non sarebbe magnifico ?

Anime gemelle[4], dicevi. E ti do[5] ragione. La affinità tra due persone non significa uguaglianza, o stretta somiglianza. Al contrario : l'esperienza insegna che significa il contrario. Come nel nostro caso. Tu docente di francese, io vinattiere, come nei primi tempi, sia pure[6] scherzando, ti sei divertita a definirmi. Ti dirò che in Argentina non ho intenzione di tornare[7] mai più. Mi è bastata. Ho liquidato le piantagioni ereditate da mio zio a Mendoza e non mi muoverò[8] più dalla mia terra, almeno spero. Soltanto qui potrei[9] essere felice. Io so, nello stesso tempo, che vivere in campagna, anche se continuerai[10] a insegnare facendo la spola con la città vicina, ti metterà addosso[11] la malinconia. E questa, te lo assicuro, è proprio la campagna al cento per cento. Non c'è dubbio che fin[12] dai primi tempi morderai il freno. Ma ecco, in questo istante mi viene in mente[13] la tua bocca, quando la tieni socchiusa come le bambine, quasi aspettando qualche cosa. Dirai che sono banale, — quante volte anzi avrai occasione di ripetermelo — ma nelle tue labbra[14], così tenere, appena sbocciate, si è rannicchiato[15] il demonio, o chi per esso[16]. È dalla tua bocca, te lo confesso, che ho cominciato a perdere la testa.

La casa. La mia è abbastanza grande e confortevole — proprio di recente ho rimesso[17] a nuovo i tre bagni, — però molto diversa dalla[18] tua.

---

1. m. à m. : *ça n'y entre pas* (dans le sujet).
2. retenir l'expression : **così da** + infinitif = *de manière à*.
3. autre expr. du temps : *d'ici*. Entro due minuti sarà pronto : *il sera prêt d'ici à deux minutes*. Entro l'anno : *dans l'année, d'ici à la fin de l'année*. ▲ ne pas confondre avec fra ou tra : *entre*.
4. *jumelles*, mais binocolo da teatro (optique).
5. **dare** prés. irrég. : **do, dai, dà, diamo, date, danno**.
6. *serait-ce* ou *ne serait-ce que*.
7. ▲ *tourner :* girare. Il Giro d'Italia ciclistico.
8. **muoversi :** *se mouvoir, bouger.* Muoviti ! *Secoue-toi !.*
9. *je pourrais*.
10. ▲ concordance du futur, comme en latin. Ce temps est employé dans la princ. et dans la subord. car l'action et sa condition sont toutes deux envisagées dans le futur.
11. m. à m. : *te mettra dessus*.

Ça n'a rien à voir, mais écoute donc : si tu arrivais à partir avec le premier train de samedi de manière à être ici dès dimanche soir ce serait magnifique, non ?

Ames sœurs, disais-tu. Tu as raison. L'affinité entre deux personnes ne signifie pas identité ou ressemblance étroite. Au contraire : l'expérience nous enseigne que c'est le contraire. Comme dans notre cas. Toi enseignante de français, moi « pinardier », comme dans les premiers temps, en plaisantant, tu te plaisais à me définir. Il faut que je te dise que je n'ai pas l'intention de retourner jamais en Argentine. Ça m'a suffi. J'ai liquidé les plantations héritées de mon oncle à Mendoza et je ne bougerai plus de cette terre, du moins je l'espère. Il n'y a qu'ici que je peux être heureux. A la fois je sais que la vie à la campagne, même si tu continues à enseigner en faisant la navette avec la ville voisine, va te rendre mélancolique. Et je t'assure qu'ici c'est la campagne à cent pour cent. Dès les premiers jours tu vas ronger ton frein, c'est sûr. Mais juste à cet instant, je repense à ta bouche, quand tu la tiens entrouverte comme les petites filles, comme si tu attendais quelque chose. Tu vas dire que je ne suis pas original — que de fois tu auras l'occasion de me le répéter ! — mais dans tes lèvres si tendres, à peine écloses, s'est niché le démon ou ce qui en tient lieu. C'est ta bouche, je l'avoue, qui la première m'a fait perdre la tête.

La maison. La mienne est assez grande et confortable — je viens de remettre à neuf les trois salles de bains — mais elle est très différente de la tienne.

---

12. **fino** : *jusque*. Fino a domani, fino in fondo. **Fin(o) da** : *depuis, dès* ; fin da ieri.
13. m. à m. : *me vient à l'esprit*. **Venire** : prés. irrég. : **vengo, vieni, viene, veniamo, venite, vengono**.
14. △ Toute une série de mots (dito, ginocchio, **labbro**, braccio, ciglio, uovo, lenzuolo...) sont masc. au sing. et fém. au plur. La marque du plur. est **a** ; cf. latin *templum, templa*. △ un uovo fresco, delle uova fresche.
15. de nicchia : *niche*.
16. pron. masc. employé pour les choses. **Chi (è) per esso**.
17. p.p. irrég. de **(ri)mettere**. Rimessa : *remise, hangar*.
18. voir note 13 p. 13. **Da** a la même valeur si on imagine que **la tua (casa)** est le modèle de départ.

I mobili sono ancora quelli dei nonni, dei bisnonni, dei trisavoli. Cambiarli, ti confesso, mi sembrerebbe un sacrilegio, come rovesciare una tomba. A te invece piace[1] Gropios[2] — è giusto il nome scritto[3] così ? scusami se è sbagliato[4], lo sai che ho fatto appena la terza ginnasiale[5] — a te piacciono[1] i divani, le poltrone, le lampade progettate dagli[6] architetti famosi. Tutto lucido, efficiente, essenziale, ortopedico (non si dice forse così ?). In mezzo a tutto questo vecchiume[7] che — lo capisco[8] anche io — non può[9] avere la pretesa di essere di supremo gusto, tu come ti sentirai[10] ? Basta pensare all'odore che emanano[11] queste stanze, di umido, di buona polvere, di campagna, di bicocca solitaria, e che io amo tanto, scusami[12]. Figurati[12], tu ti sentirai[10] ricoprire tutta di muffa[13]. Ti sentirai[10] una straniera. Ti chiuderai[10] in te stessa come un riccio. Vieni, vieni, anima mia.

E il temperamento ? Io bonario, espansivo, allegrone, qualche volta eccessivo, me ne rendo conto ma è più forte di[14] me. Tu educata dalle suore francesi di Saint-Étienne, di famiglia aristocratica anche se ridotta[15] economicamente al meno (dirai che sono un cafone[16] a scriverti brutalmente queste cose ma, credimi[12], è meglio così), abituata a una società di gente colta, raffinata, dove si fanno discorsi elevati d'arte, di letteratura, di politica (e anche i pettegolezzi hanno una certa loro speciale eleganza).

---

1. amare est en principe réservé aux pers. Dans les autres cas **piacere** qui s'accorde comme *plaire* en français.
2. **Gropius** Walter (1883-1969) : architecte, urbaniste américain, d'origine allemande. Un des fondateurs du Bauhaus.
3. p.p. irrég. de **scrivere**. Una scritta : *une inscription.*
4. *erroné.*
5. **ginnasio :** jusqu'en 1962, 1er cycle de l'enseignement secondaire qui donnait accès au lycée classique mais n'était sanctionné par aucun examen.
6. voir note 9, p. 12.
7. suff. **-ume** 1. sens collectif : i dolciumi, *les friandises ;* 2. péjoratif : sudiciume, *saleté, crasse.*
8. voir note 5 p. 12.
9. **potere** prés. irrég. : **posso, puoi, può, possiamo, potete, possono**.
10. on ne peut rendre l'expr. idiomatique française : *tu vas te sentir...* que par le futur.

Les meubles sont encore ceux de mes grands-parents, de mes arrière-grands-parents, de mes trisaïeuls. Les changer, je te l'avoue, me semblerait un sacrilège, comme la profanation d'une tombe. Toi, au contraire, tu aimes Gropios — c'est comme ça que ça s'écrit ? excuse-moi si je me suis trompé, tu sais que je suis arrivé tout juste en troisième —, tu aimes les canapés, les fauteuils, les lampes dessinées par des architectes célèbres. Les choses nettes, fonctionnelles, essentielles, orthopédiques (est-ce qu'on peut dire ça ?). Au milieu de toutes ces vieilleries qui — je le comprends bien — ne prétendent pas être du meilleur goût, comment vas-tu te sentir ? Il suffit de penser aux odeurs qui imprègnent ces pièces : odeurs d'humidité, de bonne poussière, de campagne, de bicoque solitaire, que moi j'aime tant, pardonne-moi. Tu imagines ça, tu vas avoir l'impression de moisir sur place. Tu vas te sentir comme une étrangère. Tu vas te replier sur toi-même comme un hérisson. Viens, viens, mon cœur.

Parlons tempérament. Moi bon enfant, expansif, boute-en-train, parfois excessif, je m'en rends compte mais c'est plus fort que moi. Toi élevée chez les religieuses françaises à Saint-Étienne, de famille aristocratique, même si les finances sont au plus bas (tu vas dire que je suis un goujat de t'écrire ces choses si brutalement mais c'est mieux ainsi, crois-moi), habituée à la société des gens cultivés, raffinés, où l'on parle savamment d'art, de littérature, de politique (et même les potins ont une certaine élégance).

---

11. **emanare :** *exhaler ;* **stanze** est sujet.
12. ⚠ le(s) pronom(s) compl. s'accroche(nt) au v. à l'impératif.
13. m. à m. : *te recouvrir tout entière de moisissure.*
14. ⚠ comparatif : 1. **più** (meno)... **di** quand deux choses ou personnes sont comparées par rapport à une qualité : **l'uomo è più ricco della donna** ; 2. **più** (meno)... **che** quand deux qualités sont rapportées à une chose ou à une pers. : **la casa è meno comoda che simpatica.**
15. p.p. irrég. de **ridurre** : *réduire.* E' ridotto male : *il est mal en point.* **Guarda come ti sei ridotta !** : *regarde dans quel état tu t'es mise !*
16. ce mot à connotation péjorative a été longtemps employé (par les gens du Nord) pour désigner les paysans du Sud de l'Italie. On le trouve en particulier dans le célèbre roman de Carlo Levi **Cristo si è fermato a Eboli** *(Le Christ s'est arrêté à Eboli).*

Io campagnolo, che ha letto sì Manzoni[1], Tolstoi e Sienkiewicz, ma riconosce la propria inferiorità culturale. Tu piena di scrupoli, di ritegni, sdegnosa, non vorrei dire altezzosa[2] (però che pelle stupenda[3] hai, appena a toccarti vengono i brividi, te lo ha mai detto nessuno ?, che ingenuo sono, chissà quanti[4] te lo avranno detto)[5], tu arricci il delizioso nasino[6] a una parola sbagliata. Da me, chissà quante ne avrai. Non è straordinario tutto questo ? Dammi[7] un bacetto[6], creatura, mettimi[7] il broncio[8].

Altra cosa. Tu sei abituata alla grande città. Una volta mi hai detto che il rombo delle auto[9], dei camion[9], le sirene delle autoambulanze, il cigolío[10] dei tram erano per te come delle droghe, che ti rendevano più facile il lavoro di giorno e in compenso alla sera ti conciliavano il sonno. Tu sei insomma un temperamento metropolitano pieno di elettricità, per così dire. Qui, al contrario, c'è una quiete assoluta ; che alle volte fa girare le scatole[11] perfino a me (te lo garantisco[12]). Di notte, poi ! Soltanto la voce degli alberi, quando c'è vento, il ticchettío[10] delle gocce sul tetto, quando c'è la pioggia, i lontani latrati dei cani, quando c'è la luna. No, no, tu mai potrai farci l'abitudine[13]. E allora prevedo già i nervi, le rispostacce[14], l'irritabilità, l'insopportazione. Ci pensi, che bello ? Guarda che le pubblicazioni sono già state fatte[15] da un pezzo. Il parroco[16] è disposto[17] a sposarci anche lunedì mattina, basta che tu arrivi in tempo[18].

---

1. considéré comme le chef de file du romantisme italien, Alessandro Manzoni (1785-1873) est l'auteur du roman historique : I Promessi Sposi (Les Fiancés) de 1840.
2. de alto : haut.
3. de stupore : étonnement; v. stupire : s'étonner.
4. quanto : combien quand il est adj. n'est pas inv. et se construit sans prép. Quanta cultura, quanti ritegni e quante bellezze in questa donna !
5. p.p. irrég. de dire. Un detto : un dicton.
6. suff. -ino, -etto, diminutifs.
7. voir note 12, p. 19.
8. mettere il broncio (ou il muso) : faire la tête, bouder.
9. mots inv. 1. abréviations : auto, cinema... 2. mots d'origine étrangère : camion, sport...
10. suff. -io fréquent pour indiquer des bruits. ▲ Plur. ii.
11. les boîtes, mais sens imagé dans de nombreuses expres-

Moi cul-terreux, qui a bien lu Manzoni, Tolstoï et Senkiewicz mais doit reconnaître son infériorité culturelle. Toi pleine de scrupules, de réserve, distante, je ne voudrais pas dire hautaine (pourtant quelle peau merveilleuse tu as ! à vous donner des frissons dès qu'on l'effleure, personne ne te l'a jamais dit ? quel naïf je suis ! qui sait combien d'hommes te l'ont déjà dit ?), tu fronces ton délicieux petit nez au moindre mot de travers. Tu n'as pas fini d'en entendre avec moi. Tout cela est extraordinaire, non ? Donne-moi un baiser, mon amour, boude-moi.

Autre chose. Tu es habituée à la grande ville. Une fois tu m'as dit que le vacarme des autos, des camions, les sirènes des ambulances, le grincement des trams étaient pour toi comme une drogue qui, le jour, facilitait ton travail et en revanche, le soir, t'aidait à t'endormir. En somme, tu es un tempérament citadin, chargé d'électricité pour ainsi dire. Ici, au contraire, il y a un calme absolu ; à tel point que parfois, je t'assure, ça me met les nerfs en boule. Quant à la nuit ! Rien que la voix des arbres quand il y a du vent, le clapotis des gouttes sur le toit quand il pleut, les aboiements des chiens au loin quand il y a la lune. Non, non, jamais tu ne pourras t'y habituer. Et alors je prévois déjà la mauvaise humeur, les rebuffades, l'irritabilité, l'agacement. Quel bonheur, y songes-tu ? Souviens-toi qu'il y a un bout de temps que les bans sont publiés. Le curé est prêt à nous marier dès lundi matin, pourvu que tu sois arrivée.

---

sions : **rompere le scatole** : *casser les pieds* ; **averne piene le scatole** : *en avoir plein le dos.*
12. v. **garantire** ; voir note 5 p. 12.
13. **fare l'abitudine a una cosa**, syn. abituarsi. Il rumore del treno non mi sveglia più, ci ho fatto l'abitudine.
14. suff. **-accio** péjoratif ; un caratteraccio : *un sale caractère.*
15. p.p. irrég. de **fare**. Un fatto : *un fait.*
16. syn. **prete, curato. La parrocchia** : *la paroisse.*
17. voir note 10, p. 13.
18. m. à m., *il suffit que tu arrives à temps.*

Di più. Io amo il calcio, cosa aborrita da te[1]. Io sono un vecchio tifoso[2] della Juventus[3] e la domenica sera, se le cose vanno male, perdo perfino l'appetito. Con gli amici, lo immaginerai, si parla a lungo[4] di queste cose, anche durante la settimana. A te, suppongo[5], verrà[6] semplicemente la nausea. La sera tu mi guarderai in quel certo modo, come si guarda un verme che striscia per terra. Alla sera finiremo per litigare, prevedo che anche dalla tua cara boccuccia[7] uscirà qualche brutta parola.

A proposito : alle nozze, si intende, puoi invitare chi credi, potranno dormire all'albergo delle Terme qui vicino, che ha tutto in ordine[8]. A spese[9] mie, naturalmente. I miei parenti, te lo annuncio fin d'ora, saranno una quarantina come minimo. Vieni qua, coccolina, lascia che ti stringa[10] a me, mi piace da morire quando tu metti il muso[11].

Certo, nella grande città le abitudini sono diverse. Quando non vai al cinema (a proposito hai visto *Waterloo*?, a me è piaciuto[12] moltissimo), ti trovi con qualche[13] amica, vero ?, discutete i problemi della scuola, le programmazioni, fate quel che si dice un lavoro di gruppo, vi sentite cervelli superiori, non è forse così ? La sera, mi pare di avertelo[14] già detto, a me piace passarla[14] davanti alla televisione, una spaventosa abitudine, vero ? Intendiamoci. Io sono disposto, di tanto in tanto, ad accompagnarti[14] qualche[13] sera in città, tesoro mio. Guarda però che la televisione è peggio di quanto[15] immagini tu (che ti sei sempre rifiutata di vederla perché la vede anche la tua portinaia[16]).

---

1. m. à m. : *détestée par toi.* Voir note 9, p. 12.
2. le mot viendrait de **tifo** : *typhus* et peut s'employer dans d'autres domaines que celui du sport.
3. une des due célèbri équipe di football de Turin ; l'autre est Torino.
4. *longtemps, longuement.* ⚠ **Lungo** adj. : *long.*
5. **(sup)porre** (ponere : anc. inf. sur lequel se forment les conjug.) ; prés. : irrég. **pongo, poni, pone, poniamo, ponete, pongono**. Même irrég. pour tous les v. en **-orre** : comporre, deporre, disporre, esporre...
6. futur irrég. de **venire** ; voir note 6 p. 14. ▲ Ne pas confondre avec le futur de **vedere** : vedrà.
7. suff. **-uccio** : *petit et joli.*
8. m. à m. : *qui a tout en ordre.*

En outre, j'aime le football et tu l'abhorres. Je suis un vieux supporteur de la Juventus et le dimanche soir, si les choses vont mal, j'en perds même l'appétit. Avec les copains — comme tu peux l'imaginer — on en parle longuement, même pendant la semaine. A mon avis tu en auras carrément la nausée. Le soir tu me regarderas avec cet air qu'on prend pour regarder un ver qui rampe. Nous finirons par nous disputer et je prévois que ton adorable petite bouche laissera échapper quelque vilain mot.

A propos : pour le mariage, bien entendu, tu peux inviter qui tu veux. Ils pourront dormir à l'hôtel des Thermes, tout près d'ici, un hôtel très correct. A mes frais, naturellement. Mes parents, je te préviens dès maintenant, seront une quarantaine au bas mot. Viens, viens, mon chou, laisse-moi te serrer contre moi, j'adore quand tu fais la tête.

Bien sûr, dans la grande ville, les habitudes sont différentes. Quand tu ne vas pas au cinéma (à propos as-tu vu *Waterloo* ? j'ai beaucoup aimé) tu te retrouves avec quelque amie, n'est-ce pas ? Vous discutez des problèmes de l'école, des programmes, vous faites de la concertation comme on dit, vous vous sentez des esprits supérieurs, est-ce que je me trompe ? Le soir, il me semble te l'avoir déjà dit, je m'installe devant la télévision, une horrible habitude, non ? Entendons-nous. Je suis tout disposé, de temps à autre, à t'accompagner en ville le soir, mon trésor. Mais vois-tu, la télévision est bien pire que ce que tu imagines (toi qui t'es toujours refusée à la regarder parce que ta concierge, elle aussi, la regarde).

---

9. **spendere** : *dépenser* ; p.p. **speso** ; la spesa : *la dépense*.
fare la spesa : *faire les courses, le marché*.
10. m. à m. : *laisse que je te serre* (subj.).
11. voir note 8, p. 20.
12. le v. **piacere** se conjugue avec l'aux. être.
13. **qualche** est toujours suivi du sing.
14. rappel : le(s) pronom(s) s'accroche(nt) à l'infinitif.
15. m. à m. : *pire que ce que (combien) tu imagines*.
pour le comparatif voir note 14 p. 19.
16. suff. **-aio** indique souvent le métier : **fornaio** : *boulanger* ;
calzolaio : *cordonnier* ; **fioraia** : *fleuriste*.

Alla sera, perché nascondertelo ?[1], qualche volta vedrai anche tu la partita. Maledirai, lo immagino. Ti rannicchierai sul divano, nell'angolo, sotto una piccola *abat-jour*, leggendo Teilhard du Chardin (ho sbagliato a scrivere il nome ?). Su, amore mio, prendi l'aereo, prendi il razzo interplanetario, il tappeto volante. Non vedo l'ora[2]. Non ne posso più. Vieni, tesoro, te lo giuro, saremo infelici.

---

1. voir note 14, p. 23.
2. **non vedo** (arrivare) **l'ora** ; non vedo l'ora che domani arrivi : *il me tarde que demain arrive.*

petit rappel grammatical.
nous avons vu dans ce texte toutes les formes possibles du futur :
futur régulier : metterà, ti abituerai, impiegherà, morderai, ti rannicchierai, si incontreranno, muoverò, continuerai, sentirai, ti chiuderai, guarderai, uscirà, finiremo, maledirai.
futur irrég. semi-contracté : potrà, vedrai, accadrà, potremo, avrai, potrai, avranno, potranno.
futur irrég. contracté : verrà, rimarrà, ti ci vorranno.
futur entièrement irrég. : sarà (essere), farai (fare : facere) dirò (dire : dicere), saranno (essere).

Quelquefois le soir, pourquoi te le cacher, toi aussi tu verras le match. En me maudissant, j'imagine. Tu te recroquevilleras dans un coin du canapé, sous un petit abat-jour, plongée dans Teilhard du Chardin (c'est comme ça qu'on l'écrit ?). Allez, mon amour, prends un avion, une fusée interplanétaire, un tapis volant. Le temps me semble interminable. Je n'en peux plus. Viens, mon trésor, je te le jure, nous serons malheureux.

GIANNI CELATI

Una sera prima della fine del mondo

Un certain soir avant la fin du monde

Né en 1937 à Bologne où il vit et enseigne la littérature anglo-américaine à l'Université. Il a écrit un volume d'essais sur la tradition narrative occidentale, quatre romans et un recueil de nouvelles dont le texte suivant est extrait.

Il a en outre traduit des ouvrages de Swift, Céline, Twain, Barthes, London.

Son style laconique et incisif n'exclut ni la tendresse ni l'humour.

Comiche (Einaudi 1971), *Le avventure di Guizzardi* (Einaudi 1973), *La banda dei sospiri* (Einaudi 1976), *Lunario del paradiso* (Einaudi 1978), *Narratori delle pianure* (Feltrinelli 1985), *Quattro novelle sulle apparenze* (Feltrinelli 1987), *Verso la foce* (Feltrinelli 1989), *Avventure in Africa* (Feltrinelli 1998).

Ho sentito raccontare la storia d'una donna che lavorava come segretaria in una ditta[1] di trasporti, vicino a Taglio di Po[2]. Era una bella donna con un grosso seno[3], calze sempre nere, vestiti attillati. Dopo la morte del marito, e dopo che suo figlio s'era trasferito in Venezuela per lavorare in un ristorante nei pressi[4] d'una miniera di magnesite, la donna era vissuta[5] sempre da sola[6].

Ha fatto amicizia con una insegnante di mezz'età, che lavorava a Contarina e che viveva anche lei da sola. Le due donne hanno cominciato a frequentarsi ogni giorno, a cenare assieme ogni sera, e spesso anche a dormire assieme. Erano ormai tanto affezionate l'una all'altra che pensavano, nel giro di qualche anno, di mettersi entrambe in pensione[7] e andare a vivere assieme.

Poi l'insegnante è rimasta[8] sconvolta[9] dalla notizia d'una catastrofe imminente, avendo letto[10] qualcosa sull'accumulo nell'atmosfera di anidride carbonica proveniente dalle esalazioni urbane di tutto il mondo.

Ha spiegato all'amica che un forte accumulo di anidride carbonica nell'atmosfera, come quello che sta avvenendo[11], potrà produrre un insopportabile aumento della temperatura sul pianeta[12], con scioglimento[13] dei ghiacci polari e sommersione di parte dei continenti. E le ha spiegato che le uniche zone al sicuro dalla catastrofe, almeno per qualche tempo, sarebbero state quelle più alte vicino al polo, ad[14] esempio sulle montagne della Norvegia : perché là ci sarebbe stato meno caldo[15] e minor[16] pericolo di sommersioni a causa dell'altezza.

---

1. ⚠ ne pas confondre **la ditta** et le dita : *les doigts*.
2. bourgade de 8 000 hab. à la naissance du delta du Pô.
3. la partie pour le tout.
4. presso a : vicino a. **Nei pressi** : nelle vicinanze.
5. **vivere** se conjugue avec l'aux. être ; p.p. irrég.
6. ⚠ fare **da solo** : *seul, sans aucune aide*.
7. ⚠ pensionato : *retraité. Pensionnaire* (élève) : convittore.
8. p.p. irrég. de **rimanere** : restare.
9. p.p. irrég. de **sconvolgere** et de tous les v. de la même famille : volgere, rivolgere, coinvolgere, avvolgere.
10. p.p. irrég. de **leggere**. ⚠ Il letto : *le lit*.
11. *arriver* dans le sens de *se produire :* **avvenire**, accadere, succedere, capitare.
stare + gérondif traduit l'expression : *être en train de...* Io sto leggendo e ascoltando musica : *je suis en train de lire et d'écouter de la musique.*

J'ai entendu raconter l'histoire d'une femme qui travaillait comme secrétaire dans une entreprise de transports, près de Taglio di Po. C'était une belle femme avec une grosse poitrine, toujours des bas noirs, des vêtements moulants. Après la mort de son mari, et après que son fils fut parti au Venezuela pour travailler dans un restaurant aux abords d'une mine de magnésite, la femme avait toujours vécu seule.

Elle s'est liée d'amitié avec une enseignante entre deux âges qui travaillait à Contarina et qui vivait seule elle aussi. Les deux femmes ont commencé à se fréquenter chaque jour, à dîner ensemble chaque soir, et même souvent à dormir ensemble. Elles étaient maintenant si attachées l'une à l'autre qu'elles envisageaient, d'ici à quelques années, de prendre toutes deux leur retraite et d'aller vivre ensemble.

Puis l'enseignante a été bouleversée par la nouvelle d'une catastrophe imminente, ayant lu quelque chose sur l'accumulation dans l'atmosphère d'anhydride de carbone provenant des rejets de toutes les villes du monde.

Elle a expliqué à son amie qu'une forte concentration d'anhydride de carbone dans l'atmosphère, comme celle qui est en train de se produire, pourra provoquer une augmentation insoutenable de la température sur notre planète, avec fonte des glaces polaires et submersion d'une partie des continents.

Et elle lui a expliqué que les seules zones à l'abri de la catastrophe, du moins pour quelque temps, seraient les contrées en altitude, les plus proches du pôle, par exemple les montagnes de la Norvège : car là-bas la chaleur serait moindre et donc moindre le danger de submersion, à cause de l'altitude.

---

12. ▲ genre masc. : **il pianeta**. Cf. il poeta, il farmacista, il socialista ; pl. en i.
13. **sciogliere :** *fondre, dissoudre.*
14. Le *d* est simplement une consonne d'appui ajoutée à la préposition pour éviter le hiatus ; même phénomène avec *e* : **ed anche lui.**
15. m. à m. : *là il y aurait eu moins de chaleur.*
16. ▲ piccolo, **minore,** minimo.
     Grande, maggiore, massimo.

Le due donne debbono[1] aver discusso[2] molto di queste cose, ed essersi persuase che la catastrofe fosse imminente, questione di mesi.

Un bel giorno hanno dunque deciso[3] di andare a trascorrere le ferie estive[4] sulle montagne della Norvegia, pensando che, se magari quell'estate fosse successo[5] qualcosa, loro sarebbero già state al riparo.

In agosto sono partite e sono rimaste in Norvegia fino alla metà di settembre. Poi vedendo che non succedeva[5] niente, sono tornate a casa e hanno ripreso[6] il loro lavoro.

L'estate successiva sono tornate in vacanza sulle stesse montagne, sempre più o meno in attesa della catastrofe. Durante la vacanza una delle due donne, l'insegnante, ha conosciuto uno[7] svizzero molto ricco che s'era trasferito lassù ; i due hanno deciso di sposarsi, e l'insegnante tornava in Italia per sistemare[8] le sue cose, poi ripartiva immediatamente per andare a sposarsi con lo[7] svizzero.

All'inizio di ottobre dunque la donna di Taglio di Po si è ritrovata di nuovo sola. Contava di mettersi in pensione al più presto, e di trasferirsi anche lei per sempre in Norvegia, per poter vivere assieme[9] all'unica amica che aveva.

Avrebbe dovuto aspettare tre anni, prima di raggiungere[10] l'anzianità necessaria per mettersi in pensione. A Taglio di Po si sentiva però troppo sola, e ha pensato di cambiar vita.

---

1. **dovere** irrég. au présent : **devo (debbo) devi, deve, dobbiamo, dovete, devono (debbono)**.
2. p.p. irrég. de **discutere**. Una discussione.
3. p.p. irrég. de **decidere**. Idem pour de nombreux verbes terminés en **-dere** : perdere : perso ; uccidere : ucciso ; chiudere : chiuso ; dividere : diviso. et en **-endere :** difendere : difeso ; prendere : preso ; spendere : speso ; rendere : reso ; scendere : sceso. Exception : chiedere : chiesto.
4. estate : **estivo** (adj.) ; autunno : autunnale ; inverno : invernale ; primavera : primaverile.
5. voir note 11, p. 28.
6. voir note 3, p.p. irrég.

Les deux femmes doivent avoir discuté longuement de ces choses et être parvenues à la conviction que la catastrophe était imminente, une question de mois.

Un beau jour, elles ont donc décidé d'aller passer leurs vacances d'été sur les montagnes de la Norvège en pensant que, ma foi, s'il était arrivé quelque chose cet été-là, elles seraient déjà en lieu sûr.

En août elles sont parties et elles sont restées en Norvège jusqu'à la mi-septembre. Puis voyant qu'il ne se produisait rien, elles sont revenues chez elles et ont repris leur travail.

L'été suivant, elles sont retournées en vacances sur les mêmes montagnes, attendant toujours plus ou moins la catastrophe. Pendant les vacances, une des deux femmes, l'enseignante, a connu un Suisse très riche qui s'était installé là-bas ; ils ont décidé de se marier ; l'enseignante rentrait en Italie pour régler ses affaires, puis repartait immédiatement pour aller se marier avec le Suisse.

Au début d'octobre, la femme de Taglio di Po s'est donc retrouvée à nouveau seule. Elle envisageait de prendre sa retraite au plus vite et d'aller s'installer définitivement en Norvège, elle aussi, pour pouvoir vivre avec la seule amie qu'elle avait.

Il lui fallait attendre trois ans avant d'avoir l'ancienneté nécessaire pour prendre sa retraite mais à Taglio di Po elle se sentait trop seule et elle a décidé de changer de vie.

---

7. l'art. **un** devient **uno** devant les mots commençant par un **s**, **p** « impur » (**s**, **p** suivi d'une consonne) ou un **z**. *Uno studente, uno psicologo, uno zero.* Dans les mêmes circonstances **il** devient **lo**.

8. signifie aussi *installer, caser :* il padre ha sistemato il sue figlie.

9. syn. : **insieme**.

10. *rejoindre, atteindre.*

11. ▲ **anziano** : *âgé. L'âge :* l'età. Quanti anni hai ? *Quel âge as-tu ?*

Ha trovato un lavoro in un ufficio spedizioni di Sottomarina, vicino a Chioggia[1], ed è andata ad abitare in un piccolo appartamento nei dintorni[2] di Chioggia. È diventata vegetariana e s'è comprata una macchina per fare spremute[3] di pomodori, carote, mele, agrumi. Consumava molti[7] legumi[4], lenticchie, fave, ceci, riso integrale e germe di soia ; mentre era al lavoro mangiava biscotti di mais[5].

S'è iscritta a un corso serale di yoga, tenuto da un paio[6] di ex studenti in una vecchia casa veneziana di Chioggia. Ha anche cominciato a frequentare un corso serale d'inglese, e leggeva libri di dietetica, libri sulle cure naturali delle malattie circolatorie, un libro sull'inquinamento atmosferico.

Ha cominciato una relazione amorosa con uno dei due studenti che tenevano il corso di yoga, e s'è appassionata alla musica barocca che piaceva molto[7] al suo innamorato. Quando il corso di yoga è finito e il suo innamorato è scomparso[8] dalla circolazione senza dirle niente, lei ha iniziato a fare delle passeggiate serali con un fornitore d'acqua minerale, sposato e con tre figli[9].

Così arriviamo al giugno d'un anno molto recente, mese in cui la donna s'è uccisa.

Bisogna dire che, nell'ufficio spedizioni in cui lavorava, circolavano spesso allusioni ai suoi incontri con il fornitore d'acqua minerale, attraverso ricorrenti battute di spirito[10] sull'acqua minerale.

---

1. port de pêche (50 000 hab.) dans la baie méridionale de la lagune de Venise. Célèbre pour les voiles ocre de ses bateaux de pêche à l'anguille.
2. de la même famille que intorno a, attorno a : *autour de*.
3. premere : *presser, appuyer* : **spremere** : *extraire, tirer*; esprimere : *exprimer*.
Una spremuta di limone : *un citron pressé*
4. △ **legume :** *légume sec ;* ortaggio, verdura : *légume vert*.
5. on emploie le mot **mais** pour les grains comestibles en cuisine ; granturco *(blé turc)* indique la plante et la nourriture du bétail. La farine de granturco ou polenta sert à préparer une bouillie épaisse consommée dans le nord de l'Italie avec de la viande en sauce ou des poissons frits.
6. △ plur. irrég. : **due paia**. Voir note 14, p. 17.
7. △ **molto** *(de nombreux, beaucoup de)* s'accorde lorsqu'il est adj. mais reste invariable lorsqu'il est adv.

Elle a trouvé un travail dans un bureau de messageries de Sottomarina, près de Chioggia, et elle est allée habiter un petit appartement dans la banlieue de Chioggia. Elle est devenue végétarienne et s'est acheté un appareil pour faire des jus de tomates, carottes, pommes, agrumes. Elle consommait beaucoup de légumes secs, lentilles, fèves, pois chiches, riz complet et germes de soja ; au bureau elle mangeait des biscuits de maïs.

Elle s'est inscrite à un cours du soir de yoga, organisé par deux anciens étudiants dans une vieille maison vénitienne de Chioggia. Elle a aussi commencé à suivre un cours du soir d'anglais et elle lisait des livres de diététique, des livres sur les cures naturelles des maladies circulatoires, un livre sur la pollution atmosphérique.

Elle s'est embarquée dans une liaison amoureuse avec l'un des deux étudiants du cours de yoga et s'est passionnée pour la musique baroque qui plaisait beaucoup à son petit ami.

Quand le cours de yoga s'est terminé et que son petit ami a disparu de la circulation sans rien lui dire, elle a commencé à se promener le soir avec un négociant en eau minérale, marié avec trois enfants.

Nous arrivons ainsi au mois de juin d'une année très récente, date à laquelle la femme s'est tuée.

Il faut dire que, dans le bureau de messageries où elle travaillait, circulaient souvent des allusions à ses rencontres avec le négociant en eau minérale sous forme de fréquentes plaisanteries sur l'eau minérale.

---

8. p.p. irrég. de **(scom)parire** et de tous les v. de la même famille : **parere, sparire, apparire, riapparire.**
9. au plur. le mot définit le lien de parenté sans préciser le sexe.
Ho due figli : un maschio e una femmina.
Mia figlia è dottoressa, mio figlio è ingegnere.
10. m. à m. : *traits d'esprit.*
Battuta : *réplique d'une scène de théâtre.*

D'altro canto quel fornitore, dopo aver tentato di convincerla[1] ad abbandonare l'idea di andare in Norvegia e di non pensare più alla catastrofe atmosferica, senza però riuscirvi, aveva diradato[2] le sue visite serali fino al punto di scomparire anche lui senza dir niente.

Era invece riapparso[3] il maestro di yoga. La donna lo cercava spesso, ma lui mostrava di non volerne[1] più sapere di quella relazione.

Una sera di giugno, nell'ora di chiusura dell'ufficio, la donna ha sorpreso una conversazione tra due impiegati che ridacchiando[4] parlavano della fortuna dei venditori d'acqua minerale, e della « grazia di Dio »[5] che uno di loro aveva per le mani. La donna allora li ha sfidati : « Volete favorire[6] anche voi ? », cominciando a sbottonarsi[7] la camicetta e slacciarsi[7] la sottana. E stava continuando[8] a spogliarsi, quando veniva immobilizzata, rivestita di forza e accompagnata fuori.

Quella sera invece di tornare subito a casa è andata a fare due passi sulla piazza di Chioggia. È arrivata fino alla darsena a guardare il mare[9], poi s'è fermata accanto a una colonna veneziana attorno alla quale passavano e ripassavano dei ragazzi in motorino. Verso le otto e mezza il passeggio s'era già diradato, c'erano soprattutto turisti e giovanotti in canottiera[10] nei bar all'aperto, lungo i vecchi portici.

In uno di quei bar il maestro di yoga stava discutendo di calcio[11]. La donna è andata a parlargli, dicendo che si sentiva sola e lo amava.

---

1. rappel : les pron. compl. et les adv. s'accrochent à l'infinitif. Pron. pers. compl. d'objet direct : **lo, la, li, le.** Pron. pers. compl. d'objet indirect : **gli, le, loro.**

2. de **rado** : raro. Voici le portrait que Pasolini fait de lui-même dans la poésie *Una disperata vitalità* : le guance cave sotto gli occhi abbattuti i capelli orrendamente diradati sul cranio le braccia dimagrite come quelle di un bambino un gatto che non crepa...

3. voir note 8, p. 33.

4. **ridere** + suff. **acchiare** (ou -ucchiare) : atténuatif ou péjoratif ; **rubacchiare** : *commettre de petits larcins* ; **vivacchiare** : *vivoter* ; baciucchiare : *bécoter* ; mangiucchiare : *manger du bout des lèvres.*

D'ailleurs ce commerçant, après avoir essayé de la convaincre, mais en vain, qu'il fallait abandonner l'idée d'aller en Norvège et ne plus penser à la catastrophe atmosphérique, avait espacé ses visites du soir jusqu'à disparaître lui aussi sans rien dire.

Par contre, le maître de yoga avait réapparu. La femme le cherchait souvent mais, lui, laissait entendre qu'il ne voulait plus rien savoir de cette liaison.

Un soir de juin, à l'heure de fermeture du bureau, la femme a surpris une conversation entre deux employés qui parlaient en ricanant de la chance des marchands d'eau minérale et de la « manne » que l'un d'eux avait entre les mains. La femme alors les a provoqués : « Je vous en prie, servez-vous ! » et elle commença à déboutonner son chemisier et à dégrafer sa jupe. Elle continuait à se déshabiller quand on l'immobilisait, on la rhabillait de force et on la raccompagnait dehors.

Ce soir-là, au lieu de rentrer aussitôt, elle est allée faire un tour sur la place de Chioggia. Elle est arrivée jusqu'à la darse pour regarder la mer, puis elle s'est arrêtée près d'une colonne vénitienne autour de laquelle passaient et repassaient des gamins à vélomoteur. Vers huit heures et demie la foule des promeneurs s'était clairsemée, il y avait surtout des touristes et des jeunes en débardeur aux terrasses des bars, le long des vieux portiques.

Dans un de ces bars le maître de yoga discutait de football. La femme est allée lui parler en disant qu'elle se sentait seule et qu'elle l'aimait.

---

5. m. à m. : *Grâce de Dieu*, car tout bienfait ou abondance en Italie ne peut venir que du Ciel.
6. cette expression est employée pour inviter quelqu'un à sa table. Autrement dit : *« Voulez-vous me faire la faveur d'accepter mon offre ?»*
7. préf. **s** privatif, ≠ : **abbottonare, allacciare**.
8. v. note 11 p. 28 ; v. **stare** + gérondif.
9. ⚠ **mare** est masc.
10. *maillot de corps des canotiers.*
11. *coup de pied* et de là *football*. Le **calcio** et le **totocalcio** (jeu de paris sur le football) sont les grandes passions des Italiens.

Il maestro di yoga le ha risposto[1] in tutta franchezza che lei lo deprimeva, perché stare vicino a qualcuno che pensa sempre alla catastrofe del mondo è deprimente. La donna gli ha voltato le spalle e se n'è andata.

Ha fatto un giro fino al porto, gremito di barche da pesca, macchine e motorini lungo il canale, gente seduta davanti alle porte che prendeva il fresco, ragazzi che sciamavano[2] dentro e fuori da una sala di videogiochi. Qui, verso le nove, qualcuno che la conosceva l'ha chiamata, ma la donna non ha risposto.

Appena a casa ha sigillato[3] porte e finestre con asciugamani[4] bagnati, ha aperto il gas della cucina[5], e ha messo un disco di musica barocca. Due conoscenti che passavano di lì, marito e moglie, sentendo la musica e vedendo le luci accese attraverso le finestre del pianoterra[6], hanno suonato[7] il campanello. Ma la donna all'interno non ha risposto; era occupata ad annaffiare le piante che aveva in casa e ad avvolgerle in cappucci[8] di nylon.

Mentre i due conoscenti cominciavano a bussare alla porta, la donna s'è seduta per terra, s'è avviluppata tutta la testa dentro un maglione bianco, e tutto il corpo in un telo di nylon come quelli usati per la spedizione di merci. Poi, così fasciata[9], s'è distesa sul pavimento.

Era una serata ancora luminosa, con qualche[10] nuvola all'orizzonte.

---

1. p.p. irrég. de **rispondere**. La risposta : *la réponse*.
2. de **sciame** : *essaim*.
3. sigillo : *sceau*. **sigillare** : *sceller*.
4. *essuie-mains*.
5. abréviation de cucina economica elle-même abréviation de apparecchio per fare della cucina economica.
6. *étage* (piano) *au niveau du sol* (terreno).
7. le même verbe s'emploie pour jouer d'un instrument : suonare il violino, il pianoforte.
8. cappuccino : *capucin* (relig.) et de la ressemblance avec la couleur de sa robe, le nom donné au café-crème italien. Cappuccetto rosso, *le petit chaperon rouge*.

Le maître de yoga lui a répondu en toute franchise qu'elle le déprimait parce que vivre avec quelqu'un qui pense sans arrêt à l'apocalypse c'est déprimant. La femme lui a tourné le dos et est partie.

Elle a fait un tour jusqu'au port, grouillant de bateaux de pêche, de voitures et de cyclomoteurs le long du canal, de gens assis devant leurs portes qui prenaient le frais, de grappes de jeunes qui entraient et sortaient d'une salle de jeux vidéo. Là, vers neuf heures, quelqu'un qui la connaissait l'a appelée mais la femme n'a pas répondu.

A peine rentrée, elle a calfeutré portes et fenêtres avec des serviettes mouillées, elle a ouvert le gaz de la cuisinière et a mis un disque de musique baroque. Deux personnes de sa connaissance qui passaient par là, mari et femme, en entendant la musique et en voyant les lumières allumées aux fenêtres du rez-de-chaussée ont sonné. Mais la femme à l'intérieur n'a pas répondu ; elle était occupée à arroser les plantes vertes qu'elle avait chez elle et à les envelopper dans des capuchons de nylon.

Pendant que les deux personnes commençaient à frapper à la porte, la femme s'est assise par terre, elle s'est enveloppée toute la tête dans un chandail blanc et tout le corps dans une bâche de nylon comme celle qu'on utilise pour l'expédition des marchandises. Puis, ainsi emmaillotée, elle s'est allongée sur le sol.

C'était une soirée encore lumineuse avec quelques nuages à l'horizon.

---

9. **fascia** : *bande, pansement, lange ;* **fasciare una ferita** : *panser, bander une plaie ;* **fasciare un bambino** : *langer un enfant.*
10. voir note 13 p. 23.

Un'ora prima il cielo era tutto coperto, poi un movimento d'aria era arrivato da oriente, e brandelli di cumuli volavano adesso sul lungo ponte che attraversa la laguna. I due conoscenti s'erano allontanati d'un centinaio di metri, e stavano per[1] salire in macchina con l'intenzione di andare a Chioggia a mangiare un gelato[2], quando c'è stata[3] una grande esplosione nella casa della donna.

La donna è morta appena arrivata all'ospedale ; per quale motivo si fosse tutta avvolta[4] così, come un pacco, e si fosse chiusa[5] la bocca con un nastro adesivo, e anche gli occhi e il naso, e persino il sesso con un nastro adesivo, nessuno è riuscito[6] a spiegarlo.

---

1. **stare** + **per** + infinitif : *être sur le point de.* Stavo per uscire : *j'allais sortir.*
2. ⚠ ne pas confondre il **gelato al limone** et un **Martini col ghiaccio.**
3. ⚠ Le verbe *être* se conjugue avec l'auxiliaire *être.*
4. Voir note 9, p. 28.
5. Voir note 3, p. 30.
6. **riuscire** (intrans.) se conjugue avec l'aux. être. Mais : **ha riuscito un bel colpo.**

N.B. Nous avons volontairement respecté dans ce texte l'emploi insolite des temps, caractéristique du style de Celati.

Une heure avant, le ciel était tout couvert, puis un grand souffle d'air était arrivé de l'est et des lambeaux de cumulus flottaient maintenant au-dessus du long pont qui traverse la lagune. Les deux personnes s'étaient éloignées d'une centaine de mètres et s'apprêtaient à remonter en voiture avec l'intention d'aller à Chioggia manger une glace quand il y a eu une grande explosion dans la maison de la femme.

La femme est morte dès son arrivée à l'hôpital ; pour quelle raison elle s'était enveloppée de cette façon, comme un paquet, pourquoi elle avait collé sur sa bouche un ruban adhésif, et d'autres rubans adhésifs sur ses yeux, son nez, et même son sexe, personne n'a su l'expliquer.

GIOVANNI VERGA
(1840-1922)

La chiave d'oro

La clef d'or

Né et mort à Catane en Sicile. Verga est considéré comme le chef de file du « vérisme » qui, à l'exemple du naturalisme français, se proposait un art impersonnel et objectif. En Italie, le mouvement entend aussi porter témoignage sur ces « vaincus » du Progrès et de l'Histoire que l'unité italienne fait sortir du silence des provinces oubliées, en particulier de l'Italie méridionale. Pirandello l'a défini comme « le poète des choses », en opposition au « poète des mots » qu'était D'Annunzio.

La carrière de Verga est nettement partagée en deux périodes. Tout d'abord, les œuvres de jeunesse : quelques romans sentimentaux et mondains dans le goût des salons littéraires romantiques qu'il fréquentait à Florence puis à Milan.

Puis un brusque revirement en 1874 avec la nouvelle *Nedda*. La Sicile a-t-elle joué le rôle de souvenir, de racines, de mauvaise conscience ? Nous entrons dans le monde douloureux et épique des humbles avec deux recueils de nouvelles : *Vita dei campi* (1880) (Vie des Champs) et *Novelle Rusticane* (1883) (Nouvelles siciliennes) et deux romans *I Malavoglia* (1881) (Les Malavoglia) et *Mastro Don Gesualdo* (1889) qui auraient dû être les deux premiers volumes d'un long cycle sur le modèle de ceux de Balzac ou de Zola, que Verga n'a pas réussi à mener à terme.

Le roman *I Malavoglia* a inspiré à Visconti le film *La terre tremble* en 1947, et les amateurs d'art lyrique connaissent l'opéra de Mascagni *Cavalleria Rusticana* (1890) tiré de la nouvelle, puis de la pièce homonyme de Verga.

A Santa Margherita, nella casina del Canonico stavano[1] recitando il Santo Rosario, dopo cena, quando all'improvviso si udì una schioppettata[2] nella notte.

Il Canonico allibì, colla coroncina[3] tuttora[4] in mano, e le donne si fecero[5] la croce, tendendo le orecchie, mentre i cani nel cortile abbaiavano furiosamente. Quasi subito rimbombò un'altra schioppettata di risposta nel vallone sotto la Rocca.

— Gesù e Maria, che sarà[6] mai ? — esclamò la fante sull'uscio[7] della cucina.

— Zitti[8] tutti ! — esclamò il Canonico, pallido come il berretto[9] da notte. — Lasciatemi sentire.

E si mise dietro l'imposta della finestra. I cani si erano chetati, e fuori si udiva il vento nel vallone. A un tratto riprese l'abbaiare[10] più forte di prima, e in mezzo, a brevi intervalli, si udì bussare al portone[11] con un sasso.

— Non aprite, non aprite a nessuno ! — gridava il Canonico, correndo a prendere la carabina al capezzale del letto, sotto il crocifisso. Le mani gli[12] tremavano. Poi, in mezzo al baccano, si udì gridare dietro il portone : — Aprite, signor Canonico ; son io[13], Surfareddu ! — E come finalmente il fattore del pianterreno escì a chetare i cani e a tirare le spranghe del portone, entrò il camparo[14], Surfareddu, scuro in viso e con lo schioppo ancora caldo in mano.

— Che c'è[15], Grippino ? Cos'è successo ? — chiese[16] il Canonico spaventato.

---

1. le *on* français peut se rendre de 3 façons. 1. forme réfléchie : in Italia si mangia la vera pizza ; 2. 1re pers. du plur. : non possiamo dire, *on ne peut pas dire* ; 3. 3e pers. du plur. : *ils étaient en train de* (comme ici)...

2. **-ata** suff. ajouté à un substantif : *un coup de...* **pedata** : *coup de pied ;* **telefonata** : *coup de téléphone.*

3. **corona :** *chapelet ou couronne.* Suff. **-oncino** diminutif.

4. **tuttora** indique un état ou une action qui se prolonge. E' tuttora malato : *il est toujours (ou encore) malade.*

5. p.s. irrég. de **fare**.

6. le futur introduit ici une notion supplémentaire de doute : cf. Mozart *Les Noces de Figaro* (acte 4) lorsque Barbarina cherche l'épingle : L'ho perduta, me meschina, ma chi sa dove sarà ? *Je l'ai perdue, pauvre de moi, où peut-elle être ?*

7. du v. **uscire** (vieux escire) : *sortir.*

8. lorsqu'il s'agit d'une exclamation on emploie plus souvent l'adj. **zitto**, en l'accordant, que le v. **tacere**.

A Sainte-Marguerite, dans la jolie petite maison du Chanoine, on était en train de réciter le rosaire, après le dîner, lorsque, tout à coup, on entendit un coup de fusil dans la nuit.

Le Chanoine pâlit, sans lâcher son chapelet, et les femmes se signèrent, tendant l'oreille, tandis que les chiens dans la cour aboyaient rageusement. Presque aussitôt un autre coup de fusil retentit dans le vallon, en contre-bas de la Rocca.

— Jésus Marie, qu'est-ce qui peut bien se passer ? s'écria la servante sur le pas de la cuisine.

— Taisez-vous tous, s'écria le Chanoine, pâle comme son bonnet de nuit. Laissez-moi écouter.

Et il se posta derrière le volet de la fenêtre. Les chiens s'étaient tus et dehors on entendait le vent dans le vallon. Tout à coup les aboiements reprirent plus fort, et entre-temps, à intervalles réguliers, on entendit cogner au portail avec un caillou.

« N'ouvrez pas, n'ouvrez à personne ! » criait le Chanoine tout en courant prendre sa carabine au chevet du lit, au-dessous du crucifix. Ses mains tremblaient. Puis au milieu du vacarme, on entendit crier derrière le portail : « Ouvrez, mon Père ; c'est moi, Surfareddu ! » Et lorsque enfin le fermier du rez-de-chaussée sortit pour faire taire les chiens et tirer les bâcles du portail, Surfareddu, le garde, entra avec un air sombre et son fusil encore chaud à la main.

— Qu'est-ce qu'il y a, Grippino ? Qu'est-il arrivé ? demanda le Chanoine, épouvanté.

---

9. ▲ *bonnet, casquette. Un béret :* un basco.
10. l'infinitif est très souvent employé comme nom. Prov. : **Tra il dire e il fare c'è di mezzo il mare** : *entre le dire et le faire il y a la mer.*
11. **-one** suff. augmentatif ; un riccone : *un richard.*
12. le poss. est souvent remplacé par un pronom pers. : **prenditi la giacca** : *prends ta veste.*
13. ▲ **sono io** : *c'est moi ;* sei tu : *c'est toi ;* erano loro : *c'étaient eux ;* siamo noi : *c'est nous...*
14. **camparo** (de campo : *champ*) : *garde-champêtre* privé des grands propriétaires terriens (i **baroni** : *les « barons »*). Les **campari** faisaient régner sur les paysans siciliens une loi et une justice, très privées elles aussi, où certains voient l'origine de la mafia.
15. **che (cosa) c'è** : **c'è** *(il y a)* à ne pas prendre pour *c'est* ; è il Canonico che parla : *c'est le Chanoine qui parle.*
16. p.s. irrég. de **chiedere** = domandare.

— C'è, vossignoria[1], che mentre voi dormite e riposate, io arrischio la pelle per guardarvi[2] la roba[3] — rispose[4] Surfareddu.

E raccontò cos'era successo, in piedi, sull'uscio, dondolandosi alla sua maniera. Non poteva pigliar sonno[5], dal gran caldo, e s'era messo[6] un momento sull'uscio della capanna, di là, sul poggetto, quando aveva udito rumore nel vallone, dove era il frutteto[7], un rumore come le sue orecchie sole lo conoscevano, e la Bellina, una cagnaccia[8] spelata e macilenta che gli stava alle calcagna[9]. Bacchiavano nel frutteto rance[10] e altre frutta ; un fruscìo[11] che non fa il vento ; e poi ad intervalli[12] silenzio, mentre empivano i sacchi. Allora aveva preso[13] lo schioppo d'accanto all'uscio della capanna, quel vecchio schioppo a pietra con la canna lunga e i pezzi d'ottone[14] che aveva in mano[15].

Quando si dice il destino ! Perchè quella era l'ultima notte che doveva stare a Santa Margherita. S'era licenziato a Pasqua dal Canonico, d'amore e di accordo, e il 1^0 settembre doveva andare dal padrone nuovo, in quel di Vizzini. Giusto il giorno avanti s'era fatta la consegna[16] di ogni cosa col Canonico. Ed era l'ultimo di agosto : una notte buia e senza stelle.

Bellina andava avanti, col[17] naso al vento, zitta, come l'aveva insegnata[18] lui. Egli camminava adagio adagio[19], levando i piedi alti nel fieno perchè non si udisse il fruscìo. E la cagna si voltava ad ogni[20] dieci passi per vedere se la seguiva.

---

1. forme contractée de **Vostra Signoria**.
2. **guardare :** 1. *regarder*; 2. *surveiller*.
3. ▲ *biens, terres, richesses. Une robe :* una veste.
4. p.s. irrég. de **rispondere**.
5. m. à m. : *prendre sommeil.* **Pigliare** d'usage plus parlé que prendere. Prov. : **Chi dorme non piglia pesci.** Expr. : **pigliarsela** (ou **prendersela**) **con uno :** *s'en prendre à qq'un.*
6. p.p. irrég. de **mettere**.
7. **-eto** suff. indiquant un lieu planté de ... **querceto :** *chênaie.*
8. **-accio** suff. péjoratif ; un **ragazzaccio :** *un sale gamin.*
9. pour le poss. voir note 2 p. 14. Pour le plur. irrég. voir note 14 p. 17.
10. forme dialectale de **arance**.
11. cette terminaison en **ìo** est fréquente pour indiquer des bruits et des mouvements : **ronzìo :** *bourdonnement*; **mormorìo :** *murmure*; **dondolìo :** *balancement.* Plur. en **ìi**.

— Il y a, Votre Seigneurie, que pendant que vous dormez et que vous vous prélassez, je risque ma peau pour surveiller votre bien, répondit Surfareddu.

Et il raconta ce qui était arrivé, debout, sur le seuil, en se balançant selon son habitude. Il n'arrivait pas à s'endormir, à cause de la chaleur, et il s'était mis un moment sur le seuil de la cabane, là-bas, sur la butte, quand il avait entendu du bruit dans le vallon, du côté du verger, un bruit que seules ses oreilles savaient reconnaître et celles de la Bellina, une vieille chienne pelée et efflanquée qui ne quittait pas ses talons. Dans le verger on gaulait des oranges et d'autres fruits ; rien à voir avec le bruissement du vent ; et puis des silences pendant qu'on remplissait les sacs. Alors il avait pris son fusil près de la porte de la cabane, ce vieux fusil à pierre avec un long canon, et les pièces de cuivre qu'il avait dans la main.

Ce que c'est que la malchance ! Car c'était sa dernière nuit à Sainte-Marguerite. A Pâques il avait pris congé du Chanoine, en plein accord avec lui, et le 1er septembre il devait aller chez son nouveau maître, du côté de Vizzini. Juste la veille on avait réglé tous les comptes avec le Chanoine. C'était le dernier jour d'août : une nuit noire et sans étoiles.

Bellina allait devant, le nez au vent, silencieuse comme il l'avait dressée. Lui marchait très lentement levant les pieds très haut dans le foin pour qu'on n'entendît pas le bruissement de ses pas. Et la chienne se retournait tous les dix pas pour voir s'il la suivait.

---

12. *intervalle, entracte, mi-temps, pause.*
13. p.p. irrég. de **prendere**.
14. en italien, on distingue toujours **ottone** *(laiton)* de rame *(cuivre).*
15. **in mano** comme in testa, in tasca *(dans la poche)*, in borsa *(dans le sac)*, in casa.
16. **consegnare :** *remettre, confier.*
17. les expressions indiquant une attitude sont précédées de **con** : sedeva con la pipa in bocca ; cammina con le mani dietro la schiena ; stavano con le mani in mano *(ils se tournaient les pouces).*
18. **insegnare :** *enseigner, faire apprendre* ; **imparare :** *apprendre.*
19. **adagio** adv. et nom : l'adagio di **Albinoni**. La répétition est une des formes du superlatif.
20. **ogni dieci anni** : *tous les dix ans* ; **ogni due giorni** : *tous les deux jours* ; **ogni cinque metri** : *tous les cinq mètres.*

Quando furono al vallone, disse[1] piano[2] a Bellina : —
Dietro ! — E si mise al riparo[3] di un noce grosso. Poi
diede[4] la voce : — Ehi !...

Una voce, Dio liberi[5] ! — diceva il Canonico — che
faceva accapponar[6] la pelle quando si udiva da[7] Surfareddu, un uomo che nella sua professione di camparo
aveva fatto più di un omicidio. — Allora — rispose Surfareddu — allora mi spararono[8] addosso a bruciapelo[9] —
panf ! — Per fortuna che risposi[8] al lampo[10] della fucilata.
Erano in tre[11], e udii[8] gridare. Andate a vedere nel frutteto,
che il mio uomo dev'esserci rimasto.

— Ah ! cos'hai fatto, scellerato ! — esclamava il Canonico, mentre le donne strillavano fra di loro. — Ora
verranno[12] il Giudice e gli sbirri, e mi lasci nell'imbro-
glio[13] !

— Questo è il ringraziamento che mi fate, vossignoria ?
— rispose brusco Surfareddu. — Se aspettavano a rubarvi
sinchè[14] io me ne fossi andato dal vostro servizio, era
meglio anche per me, che non ci avrei avuto quest'altro
che dire con la giustizia.

— Ora vattene[15] ai Grilli, e di' al fattore che ti mando
io[16]. Domani poi ci avrai il tuo bisogno[17]. Ma che nessuno
ti veda, per l'amor di Dio, ora ch'è tempo di fichidindia[18],
e la gente è tutta per quelle balze[19]. Chissà quanto mi
costerà questa faccenda ; che sarebbe stato meglio tu
avessi[20] chiuso gli occhi.

---

1. p. s. irrég. de **dire**.
2. **piano :** 1. *lentement :* chi va piano va sano e va lontano ;
2. *doucement :* messa piana *(messe basse).* Il pianoforte
(instrument).
3. ▲ **riparare :** *abriter.* ▲ Devo fare aggiustare l'orologio :
il faut que je fasse réparer ma montre.
4. p. s. irrég. de **dare**.
5. m. à m. : *que Dieu nous libère !*
6. de **cappone :** *chapon.* Syn. : **la pelle d'oca** *(la peau d'oie).*
7. ▲ **da :** cette prép. a de multiples sens ; ici elle indique la
provenance, l'origine. **Veniva da Catania ; esce dalla casa.**
8. le passé simple est beaucoup plus fréquent en italien qu'en
français. En Italie du Sud, on a même tendance à abuser de ce
temps.
9. m. à m. : *à brûle-poil* ; cf. *à brûle-pourpoint.*
10. **lampo :** *éclair* ; lampante : *éclatant, criant.* Una verità
lampante.
11. ▲ cette expression. **Arrivarono in due :** *à deux.*

Quand ils furent arrivés au vallon il dit tout bas à Bellina : « Derrière ! » Il se mit à l'abri d'un gros noyer. Puis il donna de la voix :

— Eh, là-bas !

Une voix, grand Dieu, disait le Chanoine, qui vous donnait la chair de poule quand elle sortait de la poitrine de Surfareddu, un homme qui dans sa profession de garde-champêtre n'en était pas à son premier crime.

— Alors, répondit Surfareddu, on m'a tiré dessus à bout portant — pan ! Heureusement que j'ai riposté au premier coup de feu. Ils étaient trois et j'ai entendu crier. Allez voir dans le verger, mon homme doit y être encore.

— Ah ! qu'as-tu fait, scélérat ! se récriait le Chanoine tandis que les femmes hurlaient entre elles. Maintenant le Juge et les sbires vont arriver, dans quel pétrin tu me laisses !

— C'est comme ça que vous me remerciez, mon Père, répondit sèchement Surfareddu. S'ils avaient attendu pour vous voler que j'aie quitté votre service, ça aurait été mieux pour moi aussi car je n'aurais pas eu, encore une fois, maille à partir avec la justice.

— Maintenant va-t'en au domaine des Grilli et dis au fermier que c'est moi qui t'envoie. Demain je t'enverrai ce qu'il te faut. Mais pour l'amour de Dieu que personne ne te voie, car c'est la saison des figues de Barbarie et il y a beaucoup de monde dans les parages. Qui sait combien va me coûter cette affaire ? Il aurait mieux valu que tu fermes les yeux.

---

12. l'exp. idiomatique française ne peut se traduire que par le futur. Voir aussi note 10 p. 18.
13. **imbrogliare :** *embrouiller, tromper* ; **imbroglione :** *tricheur*.
14. **sinché** (sino che) ou finché (fino che) ont deux sens : avec ind. *tant que :* finché c'è vita c'è speranza ; avec subj. *jusqu'à ce que :* resterà finché arrivino gli sbirri.
15. les pron. pers. compl. (sauf **loro**), **ne** *(en)* et **ci** *(y)* s'accrochent au v. à l'impératif. Si ce verbe est monosyllabique la consonne initiale redouble : **dammi** *(donne-moi)*, **dimmelo** *(dis-le-moi)*, **vacci** *(vas-y)*.
16. l'expr. **ce... que (qui)** ne se traduit pas. La présence du pron. pers. marque l'insistance ; **parla lui :** *c'est lui qui parle.*
17. **il bisogno :** *le besoin* et *ce dont on a besoin* (ici).
18. les figues de Barbarie servent à la nourriture des hommes et des animaux.
19. **balza :** *ravin, saillie de terre*. Ce mot revient souvent dans l'*Enfer* de Dante pour désigner les saillies de rocher où sont placés les damnés.
20. on dirait couramment : **sarebbe stato meglio che tu avessi**...

— Ah no, signor Canonico ! Finchè sto al vostro servizio, sfregi[1] di questa fatta non ne soffre Surfareddu ! Loro lo sapevano che fino al 31 agosto il custode del vostro podere[2] era io[3]. Tanto peggio per loro ! La mia polvere non la butto via[4], no !

E se ne andò con lo schioppo in spalla e la Bellina dietro, ch'era ancor buio. Nella casina di Santa Margherita non si chiuse[5] più occhio quella notte, pel[6] timore[7] dei ladri e il pensiero di quell'uomo steso[8] a terra lì nel frutteto. A giorno chiaro, quando cominciarono a vedersi dei viandanti[9] sulla viottola dirimpetto, nella Rocca, il Canonico, armato sino ai denti[10] e con tutti i contadini dietro, si arrischiò[11] ad andare a vedere quel ch'era stato[12]. Le donne strillavano :

— Non andate, vossignoria !

Ma appena fuori del cortile si trovarono fra i piedi Luigino, che era sgattaiolato[13] fra la gente.

— Portate via questo ragazzo — gridò lo zio canonico.

— No ! voglio[14] andare a vedere anche io ! — strillava costui. E dopo, finchè visse[15], gli rimase[16] impresso in mente lo spettacolo che aveva avuto sotto gli occhi così piccolo.

Era nel frutteto, fatti pochi passi[17], sotto un vecchio ulivo malato, steso per terra, e col naso color fuliggine dei moribondi. S'era trascinato carponi[18] su di un mucchio di sacchi vuoti ed era rimasto lì tutta la notte. I suoi compagni nel fuggire[19] s'erano portati via[4] i sacchi pieni. Lì presso c'era un tratto[20] di terra smossa[21] colle unghie e tutta nera di sangue.

---

1. fregio : ornement ; **sfregio** : *balafre* (qui enlaidit). Cf. coprire/scoprire : *couvrir/découvrir* ; scamiciato : *débraillé*.
2. **podere** même racine que *potere* : *pouvoir. Bien. propriété* comme lieu d'exercice d'un pouvoir.
3. **era io** : v. note 13, p. 43. Ici **era** vieux pour **ero**.
4. **via** placé après un v. insiste sur le mouvement et la rapidité : **buttar via** : *jeter* ; mandar via : *renvoyer* ; portar via : *arracher* ; correr via : *s'enfuir*.
5. p. s. irrég. de **chiudere**. Voir aussi note 1, p. 42.
6. **per** + il.
7. tous les n. terminés en **-ore** sont masc. sauf la **folgore** *(la foudre)*.
8. p. p. irrég. de **stendere**.
9. **via** + **andare** cf. *chemineau*.
10. △ **il dente** (masc.).

— Ah non ! Monsieur le Chanoine ! Tant que je suis à votre service, Surfareddu n'admet pas des affronts de ce genre ! Eux, ils le savaient que jusqu'au 31 août c'était moi le gardien de vos terres. Tant pis pour eux ! Je ne gaspille pas ma poudre, moi !

Et il s'en alla le fusil sur l'épaule et la Bellina sur ses talons, dans la nuit. Dans la maison de Sainte-Marguerite on ne ferma pas l'œil de la nuit, par crainte des voleurs et à la pensée de cet homme étendu à terre, là-bas, dans le verger. Lorsqu'il fit grand jour, quand on commença à voir des gens passer sur le chemin d'en face, dans la Rocca, le Chanoine, armé jusqu'aux dents et tous les paysans derrière lui, se risqua à aller voir ce qui s'était passé. Les femmes hurlaient : « N'y allez pas, Votre Seigneurie ! »

Juste à la sortie de la cour, le petit Louis, qui s'était faufilé entre les gens, vint se fourrer dans leurs pattes.

« Emmenez-moi ce gamin, cria son oncle le Chanoine. — Non, je veux aller voir moi aussi ! » hurlait le gosse. Et par la suite, jusqu'à sa mort, il garda gravé dans son esprit, le spectacle que, si jeune, il avait eu sous les yeux.

Il était dans le verger, à quelques pas de l'entrée, sous un vieil olivier, étendu à terre, avec le nez couleur de suie des moribonds. Il s'était traîné à quatre pattes sur un tas de sacs vides et il était resté là toute la nuit. Ses acolytes s'étaient enfuis en emportant les sacs pleins. Près de lui la terre était comme labourée par des ongles et toute noire de sang.

---

11. **rischiare** : *risquer* ; **arrischiarsi** : *se risquer*. Prov. ancien : **Chi non risica non rosica** : *qui ne risque rien n'a rien (à se mettre sous la dent).*

12. l'aux. du v. **être** est **être** : **sono stato :** *j'ai été* ; **eri stato :** *tu avais été* ; **erano stati :** *ils avaient été.*

13. **sgattaiolare** v. composé sur **gatto** *(chat).*

14. **volere** prés. irrég. : **voglio, vuoi, vuole, vogliamo, volete, vogliono.**

15. p. s. irrég. de **vivere.**

16. p. s. irrég. de **rimanere** = restare.

17. m. à m. : *une fois qu'on avait fait quelques pas.* Le p. p. placé en tête indique une action antérieure à une autre : **veduto l'uomo, si mise a pensare** : *ayant vu l'homme il se mit...*

18. autres adv. (inv.) indiquant des attitudes : **ginocchioni** : *à genoux* ; **bocconi** : *à plat ventre* ; **ciondoloni** : *ballant.*

19. voir note 10, p. 43.

20. **tratto** : sens spatial ou temporel. **Un tratto di strada** : *un bout de chemin* ; **di tratto in tratto** : *de temps en temps* ; **ad un tratto** : *tout à coup.*

21. p. p. irrég. de **smuovere** : *remuer, déplacer.*

— Ah ! signor Canonico — biascicò il moribondo. — Per quattro[1] ulive m'hanno ammazzato !

Il Canonico diede l'assoluzione. Poscia[2], verso mezzogiorno, arrivò il Giudice con la forza, e voleva prendersela[3] col Canonico, e legarlo come un mascalzone. Per fortuna che c'erano tutti i contadini e il fattore con la famiglia testimoni. Nondimeno il Giudice si sfogò contro quel servo di Dio che era una specie di barone[4] antico per le prepotenze, e teneva al suo servizio degli uomini[5] come Surfareddu per campari, e faceva ammazzar[6] la gente per quattro ulive. Voleva consegnato l'assassino morto o vivo, e il Canonico giurava e spergiurava[7] che non ne capiva nulla. Tanto che[8] un altro po' il Giudice lo dichiarava complice e mandante, e lo faceva legare ugualmente dagli sbirri. Così gridavano e andavano e venivano sotto gli aranci del frutteto, mentre il medico e il cancelliere facevano il loro ufficio dinanzi[9] al morto steso sui sacchi vuoti. Poi misero la tavola all'ombra del frutteto, pel caldo che faceva, e le donne indussero[10] il signor Giudice a prendere un boccone[11] perchè cominciava a farsi tardi.

La fantesca[12] si sbracciò[13] : maccheroni[14], intingoli d'ogni sorta, e le signore stesse si misero in quattro perchè la tavola non sfigurasse[15] in quell'occasione. Il signor Giudice se ne leccò le dita[16].

---

1. ce **quattro** indiquant un petit nombre se retrouve dans : **far quattro passi** : *un petit tour ;* far **quattro salti** : *un tour de danse ;* far **quattro chiacchiere** : *un brin de causette.*
2. syn. **poi, dopo.**
3. m. à m. : *se la prendre ;* cf. **cavarsela** : *s'en tirer ;* **se la cava bene** : *il s'en tire bien.*
4. Voir note 14, p. 43.
5. trois mots ont un plur. entièrement irrég. : **l'uomo, gli uomini** ; il bue *(le bœuf),* i buoi ; il dio *(le dieu),* gli dei.
6. de **mazza** : *massue.* Plus violent que son syn. **uccidere.**
7. m. à m. : *jurer et se parjurer.*
8. *tant et si bien que* (que nous n'avons pas traduit pour ne pas alourdir la phrase).
9. syn. **davanti (a).**
10. p. s. irrég. de **indurre.** Même irrég. pour tous les v. en **-urre** : condurre, produrre, dedurre...

— Ah ! Monsieur le Chanoine ! balbutia le moribond. On m'a tué pour deux olives !

Le Chanoine lui donna l'absolution. Puis, vers midi, le Juge arriva avec ses sbires, et il voulait s'en prendre au Chanoine et l'enchaîner comme un vaurien. Heureusement qu'il y avait tous les paysans, le fermier et sa famille comme témoins. Malgré cela le Juge fulmina contre ce serviteur de Dieu, tout pareil quant à l'arrogance à un « baron » de l'ancien temps et qui avait des gardes comme Surfareddu et qui faisait assassiner les gens pour deux olives. Il voulait qu'on lui livrât l'assassin mort ou vif et le Chanoine jurait ses grands dieux qu'il n'y était pour rien. Encore un peu et le Juge le déclarait complice et mandant et le faisait quand même enchaîner par les sbires. Sous les orangers du verger on criait, on s'affairait tandis que le médecin et le greffier remplissaient les devoirs de leur charge devant le mort étendu sur les sacs vides. Puis on dressa la table dans le verger, à l'ombre, à cause de la chaleur et les femmes invitèrent M. le Juge à manger un morceau car il commençait à se faire tard.

Les domestiques retroussèrent leurs manches : *maccheroni*, ragoûts de toutes sortes et les dames elles-mêmes se mirent en quatre pour que la table fût à la hauteur de la circonstance. Le Juge s'en lécha les doigts.

---

11. *bouchées* (de **bocca**). **Bocconi amari** : *humiliations, « couleuvres »*.
12. *la domesticité*, cf. **la scolaresca** : *les écoliers* ; **la soldatesca** : *la soldatesque*.
13. **sbracciarsi** voir note 1, p. 48, *s* privatif.
14. traduit *(macaronis)*, outre sa connotation péjorative, le mot devient insipide comme un plat de nouilles français.
15. **sfigurare** (voir note 1, p. 48, *s* privatif) : *faire piètre figure*. **figurare** syn. **fare bella figura**.
16. Voir note 14, p. 17.

Dopo, il cancelliere rimosse[1] un po' la tovaglia da una punta, e stese[2] in fretta[3] dieci righe di verbale, con la firma dei testimoni e ogni cosa, mentre il Giudice pigliava il caffè fatto apposta[4] con la macchina, e i contadini guardavano da lontano, mezzo nascosti[5] fra gli aranci. Infine il Canonico andò a prendere con le sue mani una bottiglia di moscardello vecchio che avrebbe risuscitato un morto. Quell'altro[6] intanto l'avevano sotterrato alla meglio sotto il vecchio ulivo malato. Nell'andarsene il Giudice gradì un fascio[7] di fiori dalle[8] signore, che fecero mettere nelle bisacce della mula del cancelliere due bei[9] panieri di frutta[10] scelte[11] ; e il Canonico li accompagnò sino al limite del podere.

Il giorno dopo venne[12] un messo del Mandamento a dire che il signor Giudice aveva persa nel frutteto la chiavetta[13] dell'orologio, e che la cercassero bene che doveva esserci di certo.

— Datemi due giorni di tempo, che la troveremo — fece rispondere il Canonico. E scrisse[14] subito ad un amico di Caltagirone[15] perchè[16] gli comprasse una chiavetta d'orologio. Una bella chiave d'oro che gli costò due onze[17], e la mandò al signor Giudice dicendo :

— È questa la chiavetta che ha smarrito il signor Giudice ?

---

1. p. s. irrég. de **rimuovere**. Même irrég. pour les v. de la même famille : muovere : *mouvoir* ; commuovere : *émouvoir*.
2. m. à m. : *étendre, coucher* (sur le papier).
3. **aver fretta :** *être pressé ;* affrettarsi : *se dépêcher*.
4. *tout exprès* ; **farlo apposta :** *le faire exprès*.
5. p. p. irrég. de **nascondere** *(cacher)*.
6. sens péjoratif pour exprimer le dédain.
7. signifie aussi *fagot* ou *faisceau* d'où fascisme dont l'emblème était le fascio littorio, *le faisceau des licteurs romains.*
8. voir note 13 p. 13.
9. **bello**, adj. quand il est épithète, prend les mêmes formes que l'article défini : l'uomo, bell'uomo ; gli animali, begli animali, la donna, bella donna, lo scandalo, bello scandalo.
10. **le frutta :** voir note 14 p. 17 ; la frutta : *le dessert.*
11. p. p. irrég. de **scegliere** *(choisir)*. Même irrég. pour les v. en -**iere** : cogliere *(cueillir)* ; togliere *(enlever)*.

Ensuite, le greffier releva le coin de la nappe et rédigea en vitesse dix lignes de procès-verbal, avec la signature des témoins et tout ce qu'il fallait, tandis que le Juge prenait le café préparé dans la cafetière pour l'occasion et que les paysans regardaient de loin, dissimulés derrière les orangers. Enfin le Chanoine alla chercher lui-même une bouteille de vieux muscat qui aurait ressuscité un mort. Entre-temps on avait enterré ce bougre-là à la va-vite sous le vieil olivier malade. En s'en allant, le Juge accepta une gerbe de fleurs offerte par les dames, qui firent mettre dans les besaces de la mule du greffier deux beaux paniers de fruits sélectionnés ; et le Chanoine les accompagna jusqu'à la lisière de son domaine.

Le lendemain, le Palais envoya un messager pour dire que le Juge avait perdu dans le verger la clef de sa montre, qu'on la cherchât bien, elle y était sûrement.

— Donnez-moi deux jours, nous allons la trouver, fit répondre le Chanoine. Et il écrivit aussitôt à un ami de Caltagirone de lui acheter une clef de montre. Une belle clef d'or qui lui coûta deux onces et qu'il envoya au Juge en disant :

« Est-ce bien la clef que Monsieur le Juge a égarée ?

---

12. p. s. irrég. de **venire**.
13. **chiave della porta ; chiave di sol ; chiave del mistero**.
14. p. s. irrég. de **scrivere**.
15. ville de la province de Catane sur la côte est de la Sicile. Cette région servira de cadre à toutes les œuvres « véristes » de l'auteur.
16. **perché** a deux sens : *parce que* et *pour que* (+ subj.).
17. **onza** ou **oncia** : monnaie d'or du Royaume des Deux-Siciles.

— È questa, sissignore — rispose lui ; e il processo andò liscio[1] per la sua strada, tantochè sopravvenne[2] il '60[3], e Surfareddu tornò a fare[4] il camparo dopo l'indulto di Garibaldi, sin che si fece ammazzare a sassate in una rissa[5] con dei campari per certa quistione di pascolo. E il Canonico, quando tornava a parlare[4] di tutti i casi[6] di quella notte che gli aveva dato tanto da fare, diceva a proposito del Giudice d'allora :

— Fu un galantuomo ! Perchè invece di perdere la sola chiavetta, avrebbe potuto farmi cercare anche l'orologio e la catena.

Nel frutteto, sotto l'albero vecchio dove è sepolto[7] il ladro delle ulive, vengono cavoli grossi come teste di bambini.

---

1. *lisse* ou *sans obstacle* dans l'expression : **andar liscio**.
2. p. s. irrég. de **(sopra)venire**.
3. en 1860, Garibaldi, à la tête d'une armée de mille hommes, débarqua à Marsala sur la côte ouest de la Sicile, pour « soulever » et rallier la Sicile, et par la suite plusieurs États de l'Italie du Sud, au Royaume de Piémont-Sardaigne de Victor-Emmanuel II. Étape décisive du **Risorgimento**, ce mouvement qui débute en 1820 et s'achève en 1870 lorsque l'Italie est unifiée et libérée des puissances étrangères (Autriche, Espagne).
4. **Tornare a** + inf. : *se remettre à*.
5. cf. *rixe*.
6. Deux sens : 1. *hasard* ; **per caso**, *par hasard* ; 2. *événement*, *affaire*. Cf. le film de F. Rosi : **Il caso Mattei**, *l'Affaire Mattei*.
7. p. p. irrég. de **seppellire**.

— Oui, Monsieur, c'est celle-là », répondit-il ; et le procès se déroula sans histoire ; puis arrivèrent les événements de 60 et Surfareddu reprit ses fonctions de garde après l'amnistie de Garibaldi jusqu'à ce qu'il se fît tuer dans une bagarre avec d'autres gardes pour une affaire de pâturage. Et le Chanoine, quand il évoquait les péripéties de cette nuit qui lui avait causé tant de tracas, disait à propos du Juge d'alors :

— C'était un bien honnête homme ! Car au lieu de se contenter de perdre sa clef il aurait pu me faire chercher aussi la montre et la chaîne.

Dans le verger, sous le vieil arbre, là où est enseveli le voleur d'olives, poussent des choux gros comme des têtes d'enfants.

VITALIANO BRANCATI
(1907-1954)

Storia di un uomo che per due volte non rise

Histoire d'un homme qui par deux fois n'a pas ri

On a peine à croire qu'un homme qui a porté sur la société sicilienne et, partant, sur toute la société italienne à l'époque du fascisme, un regard aussi désenchanté et aussi corrosif, ait pu adhérer dans sa jeunesse à tous les mythes du nouveau siècle. Aussi l'évocation qu'il en fait doit-elle être lue comme son portrait en négatif : « Je regardais, avec une admiration béate, comme j'aurais regardé des statues de Phidias, les jeunes gens de mon âge les plus robustes et les plus idiots et j'aurais donné les deux tiers de ma cervelle pour un biceps rebondi. Je tenais la Pensée pour responsable de ma maigreur et je la payais en retour de la haine la plus tenace. »

C'est sa nomination comme professeur à Rome en 1933 et la découverte de la grande imposture politique qui provoquent le sursaut salutaire, le retour quasi définitif en Sicile, l'abandon du modèle de D'Annunzio au profit de celui de Verga, la carrière discrète d'enseignant que Sciascia évoque dans *Noir sur noir*. Son œuvre, elle aussi parcimonieuse et confidentielle, est essentielle bien que l'on puisse négliger les ouvrages de jeunesse et de théâtre.

Don Giovanni in Sicilia (1941) (Don Juan en Sicile), *Il vecchio con gli stivali* (1946), *Il bell' Antonio* (1949) (Le bel Antonio), *Paolo il caldo* (1954) (inachevé) (Les ardeurs de Paolo).

La notte di capodanno[1] del 1900, Giacomo Licalzi aveva già quarant'anni. Quella notte, nelle case di Catania[2], si sturarono molte bottiglie ; pare che[3] il sindaco si sia ubbriacato a tal punto da togliersi i pantaloni e appenderli al davanzale della finestra ; pare che[3], fra le due e le tre del mattino, abbia nevicato ; secondo altri, invece, non nevicò, ma si levò un vento fortissimo che sbatté per un'ora le persiane e poi cadde[4] di colpo come un albero reciso dal fulmine[5] ; secondo altri infine, non ci fu né vento né alcuna nevicata, ma una bellissima notte odorosa e quieta.

Si brindò[6] al nuovo secolo : se ne dissero di cotte e di crude[7] sulla felicità, il progresso, la fratellanza, l'amore, ecc. ; si parlò molto e si rise[8] anche di più. Solo Giacomo Licalzi non rise minimamente, e passò la notte col viso atteggiato[9] a malinconia, sbraciando[10] la cenere della conchetta[11], fumando la pipa e alzandosi di tanto in tanto per domandare ai figli : « Dormite ? ».

I due bimbi si svegliavano, si stropicciavano gli occhi e rispondevano : « Sì, papà, dormiamo ! ».

« Ebbene », diceva il padre, « ...e allora dormite ! »

Era stato un uomo allegro fino a poco tempo innanzi[12] ; d'un tratto, una strana nebbia gli era calata[13] sul viso, aveva rinunciato ad uscire la sera, a giocare a carte, ad andare a teatro, si era liberato dei cani, del cavallo, della scimmia, del fucile da caccia, e ridotti[14] i discorsi, i bisogni, i piaceri, come un buon capitano che alleggerisce[15] la nave all'ingresso di un mare infido[16], s'era inoltrato[17] nel nuovo secolo.

---

1. **capo d'anno :** *la tête (extrémité) de l'année.*
2. **Catania :** ville de la côte est de la Sicile, au pied de l'Etna. 400 000 hab.
3. *il semble que* (+ subjonctif).
4. Voir note 2 p. 66.
5. v. **fulminare** ; adj. fulmineo.
6. syn. fare un brindisi.
7. m. à m. : *on en dit de cuites et de crues.*
autrement dit, *de toutes les couleurs.*
8. **ridere :** p. s. **rise**, p. p. **riso**. Il riso. Id. pour **sorridere**.
9. **atteggiare :** *prendre, donner une attitude* (atteggiamento).
10. de **brace** : *braise. Remuer, attiser les braises.*
11. petit récipient de terre cuite de forme ronde qu'on remplissait de braises. Il constituait le seul moyen de chauffage dans les pièces dépourvues de cheminée.

La nuit du 1er janvier 1900, Giacomo Licalzi avait déjà quarante ans. Cette nuit-là dans les maisons de Catane on déboucha force bouteilles ; on raconte que le maire était tellement ivre qu'il ôta son pantalon et l'étendit à la fenêtre ; on raconte que vers deux ou trois heures du matin, il a neigé ; d'après certains autres il n'a pas neigé mais un vent très fort s'est levé qui pendant une heure a secoué les persiennes puis est tombé soudainement comme un arbre terrassé par la foudre ; d'autres enfin disent qu'il n'y eut ni vent ni neige mais une très belle nuit parfumée et sereine.

On trinqua au nouveau siècle : on parla à tort et à travers du bonheur, du progrès, de la fraternité, de l'amour, etc. ; on parla beaucoup et on rit plus encore. Le seul qui se garda de rire fut Giacomo Licalzi qui passa la nuit avec une mine chagrine, tisonnant la cendre du brasero, fumant la pipe et se levant de temps à autre pour demander à ses enfants : « Vous dormez ? »

Les deux enfants se réveillaient, se frottaient les yeux et répondaient : « Oui, papa, on dort ! » « C'est bien, disait le père, ... et alors dormez ! »

Peu de temps auparavant c'était encore un homme gai ; tout à coup un étrange brouillard était descendu sur son visage ; il avait renoncé à sortir le soir, à jouer aux cartes, à aller au théâtre, il s'était débarrassé de ses chiens, de son cheval, de son singe, de son fusil de chasse et ayant restreint ses conversations, ses besoins, ses plaisirs, comme un bon capitaine qui déleste son navire à l'abord d'une mer périlleuse, il s'était engagé dans le nouveau siècle.

---

12. syn. **avanti, prima**.

13. **calare** s'emploie souvent pour le soir ou la nuit. **Il calare della notte** : *la tombée de la nuit.*

14. (avendo) **ridotti : ⚠** emploi du p. p. de manière absolue ; voir aussi note 15, p. 19.

15. v. **alleggerire**, de leggero.

16. fido (litt.) : *fidèle.* **Il Pastor Fido** (1595) de G. Guarini, bel exemple de drame pastoral.

17. **inoltrarsi** (de **oltre :** *outre*) ; *aller outre, de l'avant.*

« Brutto[1] secolo ! », diceva fiutando[2] l'aria. « Brutte cose, brutti avvenimenti, brutte faccende ; porcheria ; noia ; schifo ; e soprattutto bruttissimi uomini ! ».

Quando, nel'43, la Sicilia cominciò ad essere bombardata, questo vecchio di ottantatre anni non aveva più spazio, né in faccia né in cuore, per la paura o la meràviglia, e profondissimamente muto[3], fissava sulle persone lo sguardo incomprensibile e freddo che dall'occhio socchiuso di un morto cade sul ladro che gli ruba[4] le scarpe.

Abitava all'ultimo piano, sotto un terrazzino che anche la più minuta delle schegge avrebbe facilmente bucato[5] ; ma i figli e i nipoti[6] non riuscirono mai a farlo scendere nel rifugio ; e quando la guerra s'avvicinò, e i catanesi fuggirono da Catania, tutto il quartiere all'intorno, comprese la cattedrale e la biblioteca pubblica, non ebbe che un abitante : questo vecchio muto che, la prima notte del 1900, era stato il solo a non ridere.

I tedeschi[7], durante la ritirata, occuparono la casa, e il generale venne[8] a visitare Giacomo Licalzi, più per studiare la finestra, naturalmente, che per avere il piacere di conoscerlo.

« Voi siete molto feroci ! », gli disse in tedesco il vecchio ottuagenario che da tre anni non parlava nemmeno il suo dialetto.

Il generale tirò fuori[9] dal portafoglio sette fotografie : due vecchi, una donna, tre bambini, una ragazza, le sciorinò sulla tavola come un mazzo di carte quando il giocatore vuole che l'altro ne scelga[10] una, poi disse : « Tutti morti ! ».

---

1. Brancati joue ici sur les deux sens du mot **brutto** : laid et mauvais. Brutto tempo : sale temps.
2. fiuto : flair, odorat.
3. cf. mutisme. Sordomuto : sourd-muet.
4. ⚠ trois mots différents en italien pour trois mots de la même famille en français.
Il ladro che ruba un oggetto commette un furto. Prov. A rubar poco si va in galera, a rubar tanto si fa carriera.
5. **bucare :** fare un buco.
avere le mani bucate : spendere facilmente.
⚠ il bucato : la lessive.
Prov. Non tutte le ciambelle riescono col buco. On ne réussit pas à tous les coups. Le ciambelle sont des beignets en forme de couronne.

« Tout est moche, disait-il en humant l'air, tout, le siècle, les choses, les événements, les affaires ; saloperie, ennui, écœurement ; et surtout les hommes, ce qu'ils peuvent être moches ! »

En 43 quand la Sicile commença à être bombardée, chez ce vieillard de 83 ans il n'y avait plus place, ni sur son visage ni dans son cœur, pour la peur ou l'étonnement, et désespérément muet, il fixait sur les gens le regard incrédule et froid qui tombe de l'œil entrouvert d'un mort sur le voleur qui lui dérobe ses chaussures.

Il habitait au dernier étage, au-dessous d'une petite terrasse que le moindre éclat aurait aisément transpercée ; mais ses enfants et petits-enfants ne parvinrent jamais à le faire descendre dans l'abri ; et lorsque la guerre approcha et que les habitants de Catane abandonnèrent la ville, tout le quartier alentour, y compris la cathédrale et la bibliothèque municipale, ne compta qu'un seul habitant : ce vieillard muet qui, pendant la première nuit de 1900, avait été le seul à ne pas rire.

Les Allemands, au cours de leur retraite, occupèrent la maison et le général vint rendre visite à Giacomo Licalzi, moins pour avoir le plaisir de faire sa connaissance évidemment que pour examiner la situation de la fenêtre.

« Vous êtes très cruels ! » lui dit en allemand le vieil octogénaire qui depuis trois ans ne parlait même pas son propre dialecte.

Le général tira de son portefeuille sept photographies : deux vieux, une femme, trois enfants, une petite fille ; il les étala sur la table comme un jeu de cartes quand le joueur veut que l'autre en choisisse une, et il dit : « Tous morts ! »

---

6. **nipote :** *neveu* ou *petit-fils* (*petit-fils* se dit aussi **nipotino**). (Cf. *népotisme*)
7. *l'Allemagne :* la Germania.
8. Voir note 2 p. 66.
9. uscire *(sortir)* étant intrans. on emploie **tirar fuori** *(tirer hors)* lorsque le v. a un compl.
Id. pour **scendere** (intrans.) et **portare giù le valigie** ; **salire** (intrans.) et **portare su una cassa**.
10. **scegliere :** irrég. au pr. de l'ind. et au subj. **scelgo, scegli, sceglie, scegliamo, scegliete, scelgono ; scelga, scelga, scelga, scegliamo, scegliate, scelgano.** Id. pour **cogliere** *(cueillir)* ou **togliere** *(ôter)*.

Quindi, cavata[1] la rivoltella, sparò all'impazzata[2] contro i balconi dirimpetto. « Per me », disse, « il mondo può crepare ! Che muoiano[3] tutti ! Viva solo Hitler ! ».

Il vecchio si alzò e lo accompagnò alla porta. L'altro si lasciò spingere da quello sguardo semivivo, si piantò sull'attenti, salutò ed uscì.

Scomparsi i tedeschi all'orizzonte, mentre i loro cannoni brontolavano fra i boschi dell'Etna[4], la città rimase nelle mani dei ladri. Travestiti da[5] tedeschi, da inglesi, da carabinieri, da fascisti, i ladri sfondarono i portoni, salirono sui balconi, s'affacciarono dai tetti. In quei giorni, fu rubata qualunque cosa e, mossi dai ladri che vi si nascondevano sotto, armadi letti statue cassettoni[6] specchi si misero a camminare per le strade deserte e ingombre di macerie.

Giacomo Licalzi, dal suo alto finestrino, guardava il triste spettacolo e fumava la pipa. Non si meravigliava di nulla ; tutte queste cose, egli le aveva già viste con la mente la prima notte del novecento ; e si congratulava con se stesso[7] di non aver diviso minimamente lo stupido riso degli altri per salutare « l'alba del nuovo secolo ». Nel ricordo, quella gente che sturava[8] bottiglie ridendo e sghignazzando gli appariva come un popolo di scimmie[9] ubbriache e saltellanti. « Al diavolo, quanto erano brutti ! ».

---

1. v. **cavare** employé dans plusieurs mots composés.
cavatappi : *tire-bouchon*. Cavadenti : *arracheur de dents ;*
cavastivali : *tire-botte*.
2. de pazzo : *fou*.
3. **morire** : irrég. au prés. de l'ind. **muoio, muori, muore, moriamo, morite, muoiono** et au subj. **muoia**.
4. **Etna** (ou Mongibello) : volcan sur la côte est de la Sicile, encore actif, 3 263 m.
5. v. construit avec la préposition **da** (*qui faisait penser à, comme s'il s'agissait de*).
6. de cassetto : *tiroir ;* gros tiroir pour un ensemble de tiroirs.

Puis il sortit son revolver et tira comme un fou contre les fenêtres d'en face. « Pour moi, dit-il, le monde peut crever ! Ils peuvent tous mourir ! Vive Hitler, lui seul ! »

Le vieillard se leva et l'accompagna à la porte. L'autre se laissa congédier par ce regard à demi mort, il se mit au garde-à-vous, salua et sortit.

Les Allemands ayant disparu à l'horizon et tandis que leurs canons grondaient au milieu des bois de l'Etna, la ville resta aux mains des voleurs. Déguisés en Allemands, en Anglais, en carabiniers, en fascistes, les voleurs défoncèrent les portes cochères, grimpèrent aux balcons, se faufilèrent par les toits. Pendant ces journées-là on vola n'importe quoi et, déambulant sur le dos des voleurs qui se cachaient dessous, armoires lits statues commodes miroirs se mirent à marcher dans les rues désertes et encombrées de gravats.

Giacomo Licalzi, de sa fenêtre perchée, regardait le triste spectacle et fumait sa pipe. Il ne s'étonnait de rien ; tout cela, il l'avait déjà vu dans sa tête, la première nuit de 1900 ; et il se félicitait de ne pas s'être mêlé au rire stupide des autres pour saluer « l'aube du nouveau siècle ». Dans son souvenir, ces gens qui débouchaient des bouteilles en riant et en s'esclaffant lui apparaissaient comme un peuple de singes ivres et surexcités. « Diable, qu'ils étaient moches ! »

---

7. *féliciter* : **congratularsi con uno**. Mi congratulo con te : *je te félicite*.
8. syn. **stappare** (de **tappo** : *bouchon*).
9. le mot est fém. et vaut le plus souvent pour *singe et guenon*. **Prendersi una scimmia** (pop.) : *prendre une cuite*.

Finalmente arrivarono gl'inglesi[1]. Cauti, circospetti, guardando anche sotto le panche se mai vi facesse capolino[2] il piede di un tedesco, s'arrampicarono fin nella soffitta ove il vecchio fumava la pipa. Un sergente e un soldato gli chiesero il permesso di affacciare la bandiera britannica dal finestrino. Un'impercettibile favilla[3] luccicò nell'occhio di Licalzi alla vista di quella povera stoffa che penzolava su una città sconquassata, simbolo di una moltitudine armata che s'avanzava impaurita dietro un'altra che rinculava[4] impaurita.

« Voi siete molto feroci ! », gli disse il vecchio in cattivo inglese.

« No », gridò il sergente, « no, per niente, buonissimi ! ».

Il sergente parlava l'italiano e portava al collo una corona di rosario. « Sono cattolico ! » disse.

E poiché il vecchio rimaneva imperturbabile, il sergente, credendo ch'egli non avesse[5] capito, alzò la voce : « Cattolico ! », ripeté. Si fece il segno della croce : « Padre, Figlio e Spirito Santo ! ». Vista una figura di santa Rita sul lettuccio, salì[6] in ginocchio sul materasso di crine, e baciò i piedi dell'immagine. Rise di nuovo. Saltò dal letto. Tolse[7] con garbo[8] la pipa dalla bocca del vecchio, gliela[9] riempì di tabacco e gliela rimise fra i denti. « Beviamo ! », esclamò. « Nonno, beviamo ! ».

---

1. *L'Angleterre :* l'Inghilterra.
2. **capolino :** *un petit bout de la tête, le bout du nez.* expr. assez intéressante s'agissant d'un pied.
3. d'où **sfavillare** (v.) **sfavillante** (adj.).
4. syn. **indietreggiare :** andare indietro.
5. emploi de l'imparfait du subj. après un v. exprimant la supposition, le doute.
6. ▲ ne pas confondre avec **sporcare**, *salir.*
7. p. s. irrég. de **togliere**. Syn. levare.
8. **garbo :** *politesse, bonnes manières.*
La Donna di Garbo, comédie de Goldoni de 1743.
Mais aussi *galbe d'un meuble.*

Enfin les Anglais arrivèrent. Méfiants, circonspects, ils allaient jusqu'à regarder sous les bancs publics pour voir si quelque pied d'Allemand ne pointait pas le bout du nez ; ils grimpèrent jusqu'à la mansarde où le vieillard fumait sa pipe. Un sergent et un soldat lui demandèrent l'autorisation d'accrocher le drapeau britannique à la lucarne. Une imperceptible étincelle brilla dans l'œil de Licalzi à la vue de cette misérable étoffe qui pendait au-dessus d'une ville délabrée, symbole d'une horde qui avançait apeurée derrière une autre qui reculait, elle aussi apeurée.

« Vous êtes très cruels ! » leur dit le vieillard en mauvais anglais.

« Non, cria le sergent, non, pas du tout, très gentils ! »

Le sergent parlait l'italien et portait un chapelet autour du cou. « Je suis catholique ! » dit-il. Et comme le vieillard demeurait imperturbable, le sergent, croyant qu'il n'avait pas compris, éleva la voix : « Catholique ! » répéta-t-il. Il se signa : « Au nom du Père, du Fils et du Saint-Esprit ! » Ayant aperçu une sainte Rita au-dessus du petit lit, il s'agenouilla sur le matelas de crin et baisa les pieds de l'image. Il rit à nouveau. Il sauta du lit. Il retira délicatement la pipe de la bouche du vieillard, la lui remplit de tabac et la lui remit entre les dents. « Buvons, s'écria-t-il, grand-père, buvons ! »

---

9. Avec le pronom de la 3ᵉ pers. le *e* s'ajoute au *i* au lieu de s'y substituer. Le pron. *gli* dans le cas où il est accouplé à un autre pron. vaut pour le masc. et le fém. : **glielo dirò** : *je le lui dirai* (à elle ou à lui) ; **portaglieli** : *porte-les lui* (à lui ou à elle). Voir note 2, p. 116.

Tirò fuori una bottiglia, riempì un bicchiere che vide sul tavolo e lo porse[1] al vecchio. Lui bevve[2] impetuosamente alla bocca del fiaschetto. « Viva la pace ! », gridò. « Pace ! Pace ! Avremo sempre pace ! Voi, nonno, vivrete centottanta, trecento anni. »

Il vecchio stava per sorridere ; ma quando l'altro, nella sua foga, volle[2] aggiungere : « Pace ! Sempre pace ! Si comincia nuovo secolo ! », il vecchio si abbuiò[3], e ancora una volta accanto a una persona che si torceva fra[4] le risate, non rise.

---

1. p. s. irrég. de **porgere**.
2. p. s. irrég. de **bere (bevere) : bevvi, bevesti, bevve...**
id. cadere : caddi, cadesti, cadde...
id. venire : venni, venisti, venne...
id. volere : volli, volesti, volle...
id. tenere : tenni, tenesti, tenne.
3. de **buio** : *obscurité*. Syn. rabbuiarsi.
4. m. à m. : *au milieu des rires.*

Il sortit une bouteille, il remplit un verre qu'il vit sur la table et le tendit au vieux. Lui, il but avidement au goulot de la fiasque. « Vive la paix ! cria-t-il. Paix ! Paix ! Nous aurons toujours la paix ! Vous, grand-père, vous vivrez cent quatre-vingts, trois cents ans ! »

Le vieux allait sourire ; mais quand l'autre, dans son ardeur voulut ajouter : « Paix ! la paix toujours ! nouveau siècle commence ! » il s'assombrit et, une fois encore, à côté d'une personne qui se tordait de rire, il ne rit pas.

ALBERTO MORAVIA
(1907-1990)

Il quadro

Le tableau

Né à Rome en 1907. Écrivain doué d'une fécondité et d'un talent, y compris médiatique, qui le distinguent, dans le monde des intellectuels italiens.

Son succès ne s'est pas démenti depuis la publication en 1929 de son premier roman *Gli indifferenti* (Les indifférents), roman d'un existentialisme avant la lettre qui restera la référence idéologique et littéraire la plus marquante de l'œuvre de Moravia.

« On peut dire que je suis un écrivain monotone : en effet, je répète les mêmes thèmes comme certains oiseaux répètent le même cri, mais d'année en année se modifie ma façon de voir ces thèmes. »

La matière parfois scabreuse de ses romans et de ses nouvelles est moins superficielle que le succès à scandale qu'elle a souvent entraîné : les personnages velléitaires de cette œuvre sont les produits d'une crise de la société bourgeoise, moraliste et fasciste que Moravia regarde d'un œil impitoyable, mais non dépourvu de complaisance littéraire.

Journaliste et auteur de plusieurs essais sur l'U.R.S.S., la Chine, l'Afrique. Député européen, apparenté communiste.

Nous ne pouvons donner ici qu'une bibliographie sommaire.
Agostino (1944) (Agostino), *La Romana* (1947) (La belle Romaine), *La disubbidienza* (1948) (La désobéissance), *Racconti romani* (1954-1959) (Nouvelles romaines), *Il disprezzo* (1954) (Le mépris), *La noia* (1960) (L'ennui), *Io e lui* (1971) (Moi et Lui), *1934* (1983), *L'uomo che guarda* (1985) (L'homme qui regarde).

Tale Martinati, commerciante di liquori, trovandosi con una grande abbondanza di denaro, come si dice, liquido, preso[1] consiglio da un suo nipote frequentatore di ambienti artistici, decise[2] di investire una parte dei suoi risparmi[3] nell'acquisto di quadri[4]. Il Martinati, che non se ne intendeva[5], lasciò fare al nipote, il quale ebbe[6] presto fatto di mettergli insieme una piccola raccolta di opere[7] di tutti i nostri migliori[8] pittori contemporanei.

Il Martinati un tempo non avrebbe dato un soldo delle tele che il nipote gli faceva comperare a caro prezzo. Egli era rimasto fermo[9] ai due concetti del bello in natura e dell'imitazione del vero ; ove[10] avesse obbedito ai suoi gusti, avrebbe acquistato quei paesaggi suggestivi, quei personaggi stereotipati, contadinelle, pastori, scugnizzi[11], quelle nature morte commestibili che riempiono le sale dorate dei mercanti d'arte più bassi e commerciali. Tuttavia il Martinati, uomo ignorante, non aveva il coraggio di contraddire apertamente[12] il nipote ; e, sospirando, continuava ad affollarsi[13] la casa di queste tele, che a lui, più che dipinte, parevano malamente imbrattate.

Ma c'era tra lui e il nipote una sorda guerra, una polemica sotterranea. Pur continuando a sborsar[14] quattrini[15] per l'acquisto di supposti capolavori, il Martinati meditava di prendersi di sorpresa una rivincita sul parente[16] presuntuoso. Voleva comperare segretamente un quadro e tutto ad un tratto presentarlo al nipote.

---

1. p. p. irrég. de **prendere**. Voir note 3, p. 30.
2. p. s. irrég. de **decidere**. Id. pour de nombreux verbes en **-dere** et **-endere**. Tendere : io tesi ; difendere : io difesi. Voir note 3 p. 30 pour les p. p. de ces mêmes verbes.
3. v. **risparmiare**. La Cassa di Risparmio.
4. ▲ on trouvera plus loin la **cornice** : le cadre.
5. un intenditore : un connaisseur. Prov. **A buon intenditore poche parole** : à bon entendeur, salut.
6. p. s. irrég. de **avere**.
7. **opera** (lirica) est devenu simplement **opera** : opéra.
8. buono, **migliore**, ottimo.
Cattivo, peggiore, pessimo.
9. ▲ immobile. Fermare : arrêter, immobiliser.
Ne pas confondre avec chiudere : fermer.
10. **ove** ou **dove** : où, dans le cas où, si. Subjonctif car il s'agit d'une supposition.

Un certain Martinati, négociant en spiritueux, disposant d'une belle somme d'argent liquide, comme on dit, se fit conseiller par un de ses neveux qui fréquentait les milieux artistiques et décida d'investir une partie de ses économies dans l'achat de tableaux. Martinati qui n'était pas connaisseur laissa faire son neveu qui eut tôt fait de lui constituer une petite collection d'œuvres de nos meilleurs peintres contemporains.

Hier encore Martinati n'aurait pas donné trois sous des toiles que son neveu lui faisait acheter à prix d'or. Il en était resté à deux concepts : la beauté de la nature et l'imitation du vrai ; s'il avait obéi à ses goûts il aurait acheté ces paysages suggestifs, ces personnages stéréotypés, jeunes paysannes, bergers, gavroches, ces natures mortes comestibles qui remplissent les salons dorés des galeries d'art les plus quelconques et les plus commerciales. Cependant, Martinati, homme ignorant, n'avait pas le courage de contredire ouvertement son neveu et continuait, en soupirant, à remplir sa maison de ces toiles qui pour lui n'étaient pas des peintures mais d'horribles barbouillages.

Il y avait entre lui et son neveu une guerre sourde, une polémique souterraine. Tout en continuant à débourser pour l'achat de prétendus chefs-d'œuvre, Martinati méditait de prendre subrepticement sa revanche sur ce parent présomptueux. Il voulait acheter en secret un tableau et le présenter tout de go à son neveu.

---

11. dialecte napolitain, *gamin de Naples*.
12. les adverbes se forment en ajoutant le suffixe **-mente** au féminin de l'adjectif.
13. **affollare :** *remplir de foule*, ici *d'objets*.
14. de **borsa** : *bourse* mais surtout *sac*.
15. **quattrini** ou **soldi** plus populaire que **denaro**.
16. *parent* au sens large. ⚠ **genitori** : *père et mère*.

Costui avrebbe strepitato, si sarebbe preso gioco di lui[1], poco importava. Almeno tra tante chiazze di colore che gli deturpavano i muri di casa, il Martinati avrebbe saputo dove posare gli occhi.

Il Martinati, che era diventato frequentatore assiduo di aste[2] e di antiquari, pensò finalmente di aver trovato il fatto suo. Si trattava di un quadro di vaste proporzioni raffigurante, come gli disse il mercante, Marcantonio, quel grande[3] generale, e la regina[4] Cleopatra. Vi si vedeva, in ricche vesti, la regina seduta in trono e il generale accovacciato[5] ai suoi piedi, quasi[6] a significarne la dipendenza sentimentale. Nello sfondo si distingueva una grande sala con colonne di marmo e volte affrescate[7]. Al Martinati, oltre che[8] per la nobiltà del soggetto, il quadro piaceva assai[9] perché, come disse alla moglie, le due figure erano veramente vive, non gli[10] mancava che la parola. Il Martinati, sempre ad insaputa[11] del nipote, pagò il quadro e se lo fece mandare a casa.

Appeso[12] il quadro al posto[13] d'onore nella sala da pranzo[14], il Martinati invitò il nipote e non senza trepidazione gli mostrò il suo acquisto. Il nipote non lanciò più di un'occhiata al quadro, domandò quindi al Martinati quanto l'avesse pagato e alfine dichiarò freddamente che il quadro era una vecchia crosta e valeva meno della[15] cornice in cui era incastonato[16]. Irritato, il Martinati rispose che lui era convinto[17] del contrario. Non fosse altro che per la verità delle due figure che parevano vive.

---

1. **prendersi gioco di uno :** *se jouer de quelqu'un.*
Syn. prendere in giro uno.
2. **asta :** *bâton, piquet, hampe.*
Vendita all'asta : car on avait coutume de planter un piquet sur le lieu où l'on mettait en vente les biens des débiteurs du Trésor public.
3. ▲ ne pas confondre avec **alto** qui indique la *stature.*
4. féminin de **il re** (invar.).
5. de **covo** : *terrier, nid, repaire ;* **covare** : *couver.*
6. **quasi :** *presque* prend le sens de *comme* (ou *comme si* + subj.) quand il est employé devant un verbe au subj. passé.
Le figure si muovevano quasi fossero vive.
7. **affresco** (masc.) : *fresque ;* abréviation et contraction de pittura a fresco : *peinture sur un mur enduit de frais.*
La Cena di Leonardo da Vinci è un **affresco**.
8. m. à m. : *outre que.*

Celui-ci allait hurler, se moquer de lui, aucune importance. Au moins Martinati aurait-il su où poser les yeux au milieu de toutes ces taches de couleur qui défiguraient les murs de sa maison.

Martinati, qui s'était mis à fréquenter assidûment les ventes aux enchères et les antiquaires, crut enfin avoir trouvé son affaire. Il s'agissait d'un tableau de grandes dimensions qui représentait, comme le lui dit le marchand, Marc Antoine, le célèbre général, et la reine Cléopâtre. On y voyait, somptueusement vêtue, la reine assise sur son trône et le général allongé à ses pieds comme pour exprimer sa sujétion sentimentale. En arrière-plan, on distinguait une grande salle avec colonnes de marbre et voûtes ornées de fresques. Martinati aimait beaucoup ce tableau non seulement pour la noblesse du sujet mais, comme il le dit à sa femme, parce que les deux personnages étaient vraiment vivants, il ne leur manquait que la parole. Martinati, toujours à l'insu de son neveu, paya le tableau et se le fit livrer.

Ayant accroché le tableau à la place d'honneur dans la salle à manger, Martinati invita son neveu et non sans inquiétude il lui montra son acquisition. Le neveu jeta un coup d'œil rapide sur le tableau, puis demanda à Martinati combien il l'avait payé et enfin déclara froidement que le tableau était une vieille croûte qui ne valait même pas le cadre qui était autour. Irrité, Martinati répondit qu'il était convaincu du contraire. Ne serait-ce que pour la vérité des deux personnages qui semblaient vivants.

---

9. ▲ *assez :* **abbastanza.**
10. de plus en plus la langue contemporaine tend à remplacer le pronom **loro**, qui est le seul à se placer après le verbe, par le pronom compl. masc. sing. **gli.** Seul le contexte permet de les distinguer.
11. de **sapere :** savoir. **A mia insaputa :** *à mon insu.*
12. emploi absolu du p. p., voir note 17 p. 49.
13. ▲ ne pas confondre **posto** *(place, espace)* et **piazza** (dans une ville).
14. m. à m. : *salle à repas.*
ici **da** indique la fonction. Cf. **la camera da letto, la sala da bagno, una sala da ballo.**
15. voir note 14, p. 19.
16. *enchâsser ;* s'emploie pour une pierre précieuse.
17. p. p. irrég. de **(con)vincere.**

Se quel quadro, con quelle due figure così simili[1] a due persone vere, non valeva nulla, che cosa valevano in tal caso le tele impiastricciate[2] ed incomprensibili che il nipote gli aveva fatto comprare ? Il nipote levò le spalle e disse che gliel'aveva già spiegato tante volte : in pittura contava l'arte non l'oggetto rappresentato. Rispose il Martinati che secondo lui la principale qualità di un quadro era di raffigurare cose che si potevano capire e ammirare. Altrimenti tanto[3] valeva tenere le pareti sgombre[4]. Insomma, la discussione inveleniva[5]. Dopo aver tentato un'ultima volta di spiegare allo zio quel che fosse la buona pittura, il nipote gli diede del testardo[6] e dell'ignorante e se ne andò sbattendo la porta.

Quella stessa sera, a tavola, il Martinati disse alla moglie[7] : « È inutile... non mi lascerò mai convincere che siano preferibili delle chiazze insignificanti[8] di colore piuttosto che due figure come quelle, così vive e reali che sembrano saltare fuori dal quadro. » In così dire, levò involontariamente gli occhi e gettò uno sguardo al quadro. Allora il cucchiaio che portava alla bocca gli ricadde[9] nella scodella[10], vedendo che quelle due figure così vive e così reali, avevano addirittura cambiato atteggiamento. Erano, prima, l'uno ai piedi dell'altra. Ora invece, incredibile vista, Marcantonio, sedutosi[11] a sua volta in trono, aveva preso Cleopatra sulle ginocchia. L'atteggiamento era confidenziale ; ma le due figure conservavano tutta la loro maestà[12].

---

1. cf. *similitude, assimiler*.
2. de impiastro : *emplâtre*.
3. **tanto** comme **molto** (voir note 7, p. 33) s'accorde quand il est adjectif et est invariable quand il est adverbe. De même pour **poco, troppo, quanto** (note 4, p. 20).
4. v. **sgombrare** (ou sgomberare) *débarrasser, déménager*. ≠ ingombrare.
5. de veleno : *poison ;* fungo *(champignon)*, serpe *(serpent)* velenosa.
6. m. à m. : *lui donna du têtu*.
7. △ **moglie** seul mot terminé en **-ie** qui ne soit pas invariable ; plur. **le mogli**.
8. v. **significare**. Substantif : il significato (il senso).
9. voir note 2, p. 66.
10. **scodella** : *assiette creuse, écuelle* ; piatto : *assiette plate*.

Si ce tableau avec ces deux effigies si semblables à deux véritables personnes ne valait rien, que pouvaient donc bien valoir les toiles peinturlurées et incompréhensibles qu'il lui avait fait acheter ? Le neveu haussa les épaules et dit qu'il le lui avait déjà expliqué mille fois : en peinture c'était l'art qui comptait et non l'objet représenté. Martinati répondit qu'à son avis la première qualité d'un tableau était de représenter des choses qu'on pouvait comprendre et admirer. Sinon il valait mieux ne rien avoir sur ses murs. En un mot la discussion tournait à l'aigre. Après avoir tenté une dernière fois d'expliquer à son oncle ce qu'était la bonne peinture, le neveu le traita de têtu et d'ignorant et partit en claquant la porte.

Le même soir, à table, Martinati dit à sa femme : « Rien à faire... on n'arrivera jamais à me convaincre que des taches de couleur insignifiantes sont préférables à deux figures comme celles-ci, tellement vivantes et réelles qu'elles semblent sortir du tableau ». Sur ces mots, il leva involontairement les yeux et jeta un regard sur le tableau. Alors la cuiller qu'il portait à sa bouche retomba dans son assiette quand il vit que les deux figures étaient tellement vivantes et réelles qu'elles avaient même changé de position. Alors qu'auparavant Marc Antoine était assis aux pieds de Cléopâtre, il s'était maintenant, chose incroyable, assis à son tour sur le trône et l'avait prise sur ses genoux. L'attitude était familière mais les deux personnages conservaient toute leur majesté.

---

11. le pronom compl. s'accroche aussi au p. p. absolu. (litt.) **vedutolo.** *l'ayant vu.*
12. **Sua Maestà** : *Sa Majesté.*
Maestà se dit aussi pour la Vierge ou le Christ représentés de face. **La Maestà di Duccio** ou **di Giotto.**

Il Martinati, non credendo ai propri[1] occhi, disse alla moglie che guardasse anche lei. La moglie guardò e riconobbe[2] che, effettivamente, le due figure avevano cambiato atteggiamento. Ma la moglie non stupì come il Martinati. Con molto buon senso ella fece osservare al marito che, come egli stesso diceva, le due figure erano proprio[1] vive. Che c'era allora di strano che, stanche di stare sempre nello stesso atteggiamento, avessero voluto mutarlo[3] ? Il Martinati, dopo riflessione, dovette riconoscere che l'osservazione non era priva di fondamento. Finirono così di mangiare commentando il fatto e ogni tanto guardando furtivamente ai due abbracciati, lassù nel quadro.

Il giorno dopo, nuova sorpresa : Marcantonio, forse geloso, inveiva in piedi, le braccia alzate, contro Cleopatra ; la quale pareva, lei, rispondergli per le rime[4]. La moglie disse che, almeno a giudicare dalle apparenze, Marcantonio aveva tutte le ragioni di comportarsi in questo modo. Cleopatra era una famosa civetta[5]. Ma il Martinati difese[6] Cleopatra. Con tanto calore che la moglie, punta[7] a sua volta dalla gelosia, gli rimproverò di nutrire una segreta inclinazione per la lussuriosa[8] regina. I due coniugi andarono a letto imbronciati[9].

Quella notte, oltre alla capacità di muoversi, i due personaggi parvero[10] acquisire[11] ad un tratto anche quella di parlare. Il Martinati, destato da[12] un rumore di voci concitate che giungeva dalla[12] sala da[12] pranzo, si levò in camicia e in punta di piedi andò ad ascoltare.

---

1. **proprio** remplace le possessif 3e pers. pour insister sur le sens de possession. Dans ce cas il est adj. et s'accorde. **proprio** adv. inv. : *vraiment*.
2. p. s. irrég. de **riconoscere**.
3. syn. **cambiare**.
4. m. à m. : *lui répondre par les rimes*.
5. *chouette* (subst.) et *coquette* (adj.).
6. voir note 2 p. 70.
7. p. p. irrég. de **pungere**. D'où **la punta** : *la pointe*.
8. Moravia pense sans doute à Dante. Dans le cercle de l'Enfer où sont punis les luxurieux, Virgile désigne Cléopâtre à Dante, dans l'ouragan infernal, parmi d'autres pécheurs : **poi è Cleopatra lussuriosa** (*Enfer* V, 63).
9. voir note 8, p. 20.

Martinati n'en croyait pas ses yeux et dit à sa femme de regarder elle aussi. Elle regarda et reconnut qu'effectivement les deux figures avaient changé d'attitude. Mais ne s'en étonna pas autant que son mari. Elle lui fit remarquer avec beaucoup de bon sens que, comme il le disait lui-même, les deux personnages étaient vraiment vivants. Qu'y avait-il donc d'étrange à ce que, fatigués d'être toujours dans la même posture, ils aient voulu en changer ? Martinati, réflexion faite, dut reconnaître que la remarque n'était pas dénuée de fondement. Ils terminèrent donc leur repas en commentant l'événement et en regardant de temps à autre, furtivement, les deux personnages enlacés, là-haut dans le tableau.

Le jour suivant, nouvelle surprise : Marc Antoine, peut-être jaloux, debout, les bras levés, fulminait contre Cléopâtre ; laquelle semblait lui répondre sur le même ton. A en juger du moins par les apparences, dit la femme, Marc Antoine avait de bonnes raisons de se comporter ainsi. Cléopâtre était une fichue coquette. Mais Martinati défendit Cléopâtre. Avec tant d'ardeur que sa femme, piquée à son tour par la jalousie, lui reprocha de nourrir une secrète inclination pour la luxurieuse reine. Les deux époux allèrent se coucher brouillés.

Cette nuit-là, outre la capacité de se déplacer, les deux personnages semblèrent soudain acquérir aussi celle de parler. Martinati, réveillé par un bruit de voix courroucées qui arrivait de la salle à manger, se leva en chemise et sur la pointe des pieds il alla écouter.

---

10. p. s. irrég. de **parere** et de tous les verbes de la même famille : **aparire, sparire, scomparire**...
11. Syn. : **acquistare**.
12. trois emplois de la préposition **da** avec trois fonctions différentes : complément d'agent, origine, fonction.

La voce della regina era riconoscibile per i toni flautati[1] e perfidi ; quella di Marcantonio, invece, era rude e violenta. Ma le parole non si capivano. Parlavano forse latino, forse greco, forse qualche lingua orientale. Il Martinati, nascosto dietro la porta, stette[2] un pezzo ad ascoltare quelle due voci che bisticciavano ; affascinato, come disse poi alla moglie, da quel dialogare al buio in una lingua sconosciuta, di suono petroso[3] e arcaico, che pareva evocare tutto un mondo perduto.

Finalmente, sentendo il freddo salirgli dai piedi nudi su per tutto il corpo, sporgendosi alquanto, arrischiò qualche discreto zittío[4]. Ma i due non se ne diedero per inteso[5]. Scoraggiato, il Martinati se ne tornò a letto. Tutta la notte, nel dormiveglia[6], udì quei due bisticciare al buio, nell'attigua sala da pranzo.

Dopo quella notte, i due personaggi moltiplicarono i segni di vita. Ora[7] parlavano, ora[7] si mettevano negli atteggiamenti più strani e più liberi, ora[7], addirittura, se ne andavano per una porta dipinta[8] nel fondo della tela e lasciavano il quadro vuoto. Soprattutto questo fatto di andarsene dava fastidio al Martinati. Va bene discutere di notte, egli diceva, passi pure[9] abbracciarsi, accarezzarsi e simili, ma scomparire, via, era un po' troppo. Egli non aveva sborsato i soldi per avere un quadro vuoto. La moglie gli rispondeva che con queste parole egli dimostrava, al solito[10], il suo animo grossolano e interessato. Quei due non erano due poveretti che possedessero[11] una sola stanza.

---

1. de flauto (masc.) : *flûte*. Mozart : Il flauto magico.
2. p. s. irrég. de **stare**.
3. de **pietra** : *pierre*. On appelle **Rime petrose** un recueil de quatre poèmes que Dante aurait écrits pour une **Dama Pietra** entre 1296 et 1300.
4. de **zitto** : *silencieux* ou *chut !* + suff. **-io**. geste ou mot destiné à imposer le silence.
5. **inteso** : *entendu, convenu*. Darsi per inteso di qualcosa : *montrer qu'on a compris quelque chose* et, à la forme négative, *refuser de comprendre*.
6. de **dormire** et **vegliare**.
7. ⚠ la répétition de **ora** pour indiquer une succession d'actions. Voir plus loin l'expression de l'alternative sia... sia.
8. il pittore : *le peintre ;* dipingere : *peindre ;* **dipinto** : *peint ;* un dipinto : *une peinture.*

On reconnaissait la voix de la reine à ses inflexions flûtées et perfides ; celle de Marc Antoine au contraire était rude et violente. Les mots toutefois restaient incompréhensibles. Ils parlaient peut-être latin, peut-être grec, peut-être quelque langue orientale. Martinati, caché derrière la porte, resta un moment à écouter ces deux voix qui se chamaillaient ; fasciné, comme il le dit plus tard à sa femme, par cette conversation nocturne dans une langue inconnue, aux sonorités rocailleuses et archaïques, qui semblait évoquer tout un monde perdu.

Finalement, sentant le froid monter de ses pieds nus et envahir tout son corps, il se pencha un peu et essaya discrètement de les faire taire. Mais ces deux-là s'en moquèrent éperdument. Découragé, Martinati retourna se coucher. Toute la nuit, dans un demi-sommeil, il les entendit dans le noir se chamailler dans la salle à manger contiguë.

Après cette nuit-là, les deux personnages multiplièrent les signes de vie. Tantôt ils parlaient, tantôt ils prenaient les attitudes les plus étranges et les plus désinvoltes et parfois ils allaient même jusqu'à sortir par une porte peinte dans le fond de la toile et laissaient le tableau vide. C'était surtout ça qui agaçait Martinati, cette manie de filer. Discuter la nuit, d'accord, disait-il, s'embrasser, se caresser et tout à l'avenant, passe encore, mais disparaître, alors, c'était un peu trop. Il n'avait pas dépensé tout cet argent pour avoir un tableau vide. Sa femme lui répondait que ces propos trahissaient, comme toujours, son esprit grossier et intéressé. On n'avait pas affaire à deux miséreux qui ne possédaient qu'une seule pièce.

---

9. **pure** a plusieurs sens : 1. ici renforce l'idée de concession. **Faccia pure, entri pure** : *faites donc, entrez donc* ; 2. *aussi :* **verrò pure io** : *je viendrai moi aussi* ; 3. *cependant :* **è bello forse (ep)pure non mi piace.**
10. sur **solito** (adj.) : *habituel* se forment plusieurs expressions **di solito** : *d'ordinaire ;* **al solito :** *comme d'habitude.*
11. ici le subjonctif car on ne peut que supposer, sans avoir de certitude, qu'ils possèdent.

Erano una regina e un condottiero[1] romano. Chissà quante altre sale c'erano in quel loro palazzo. Troppo giusto che, stanchi di essere sempre lì in mostra, ogni tanto si eclissassero. Il Martinati ribatteva che erano stati dipinti per stare in cornice, non per andarsene per i fatti loro[2].

Il massimo inconveniente di quelle figure così vive restava però l'indiscreta e rumorosa natura dei loro rapporti. Ormai non passava giorno né[3] notte che non bisticciassero per qualche loro motivo. Questi loro continui litigi producevano molti turbamenti. Prima di tutto suscitavano tra il Martinati e la moglie litigi affini, perché la moglie prendeva le parti[4] del povero Marcantonio, vittima, a suo dire, di una donna senza pudore né scrupoli, mentre il Martinati difendeva galantemente la bella regina. E poi, con il fracasso gutturale e rotto[5] delle loro voci, impedivano ai[6] due coniugi sia di mangiare in pace di giorno, sia di dormire di notte. Non c'era alcun dubbio, ormai, le due figure erano vive, vivissime ; ma il Martinati cominciò a desiderare che, almeno di notte e durante i pasti, fossero[7] un po' meno vive.

Andò a finire che il Martinati prese a[8] considerare con tutt'altro occhio le tele già[9] tanto disprezzate che il nipote gli aveva fatto acquistare. Era vero che le donne nude dai[10] piedi enormi e dalle[10] facce storte e gli uomini strabici e contraffatti che popolavano quelle tele non si muovevano né parlavano ; ma ora questa loro irrealtà pareva di gran lunga preferibile alla vivezza dei due regali[11] amanti. Quei nudi, quei ritratti, insomma, facevano il loro dovere che era poi di starsene immobili in cornice.

---

1. même racine que **condurre** (p. p. **condotto**).
Chef d'armée mercenaire. Certains d'entre eux ont joué, surtout à la Renaissance, un rôle important dans la politique italienne : Gattamelata (1370-1443), statue équestre par Donatello à Padoue. Bartolomeo Colleoni (1400-1476), on voit sa statue sculptée par Verrocchio à Venise ; Francesco Sforza (1401-1466) ; Giovanni delle Bande Nere (Jean des Bandes noires) (1498-1526). Dans *Le Prince*, Machiavel parle longuement des armées mercenaires.
2. m. à m. : *pour leurs affaires.*
fa i fatti tuoi : *occupe-toi de tes affaires.*
3. ⚠ ne pas confondre **né** : *ni* et ne : *en.*
4. **la parte** : *la partie, le rôle* ou *le parti* au sens figuré.

Mais à une reine et à un condottiere romain. Qui sait combien d'autres salles il y avait dans leur palais ? Il était bien normal que de temps à autre ils s'éclipsent, fatigués d'être toujours là à s'exhiber. Martinati répliquait qu'ils avaient été peints pour rester dans leur cadre et non pas pour vaquer à leurs occupations.

Mais c'était la nature indiscrète et bruyante de leurs rapports qui constituait le plus gros inconvénient de la vitalité de ces deux figures. Dès lors, il ne se passait pas un jour ou une nuit sans qu'ils ne se disputent pour une raison ou une autre. Les scènes continuelles provoquaient bien des perturbations. Tout d'abord elles déchaînaient des scènes du même genre entre Martinati et sa femme car, elle, prenait fait et cause pour le pauvre Marc Antoine victime, à son avis, d'une femme sans pudeur ni scrupules tandis que Martinati défendait galamment la belle reine. En outre, le vacarme guttural et heurté de leurs voix empêchait les deux époux soit de manger en paix le jour, soit de dormir la nuit. Il n'y avait aucun doute : désormais les deux figures étaient bel et bien vivantes ; mais Martinati se prit à désirer qu'elles le soient un peu moins, ne serait-ce que la nuit et pendant les repas.

En fin de compte, Martinati se mit à considérer d'un tout autre œil les toiles que son neveu lui avait fait acheter et qu'il méprisait tant auparavant. Les femmes nues aux pieds énormes et aux visages biscornus et les hommes bigleux et contrefaits qui peuplaient ces toiles ne bougeaient ni ne parlaient, certes ; mais à présent, leur irréalité semblait de très loin préférable à la vitalité des deux amants royaux. Ces nus, ces portraits, faisaient en somme leur devoir qui était après tout de se tenir immobiles dans leur cadre.

---

5. p. p. de **rompere :** *casser.*
6. ⚠ **impedire** se construit comme *interdire (à)* quelqu'un et non comme *empêcher quelqu'un.*
7. emploi du subj. après v. de souhait **desiderare.**
8. **prendere a** + infinitif : *se mettre à.*
9. **già :** *déjà,* mais aussi : *autrefois.*
10. **da** indique ici le détail caractéristique d'une chose. **La bambina dagli occhi azzurri e dalle trecce bionde è mia figlia :** *la petite fille aux yeux bleus et aux tresses blondes est ma fille.*
11. **regale :** adj. dérivé de **re** *(roi).*
Ne pas confondre avec **il regalo :** *le cadeau.*

Il Martinati disse alla moglie che, a ben guardare, avevano forse ragione i pittori moderni di dipingere a quel modo, fuori d'ogni realtà e di ogni verisimiglianza[1]. A lungo andare[2] una vivacità come quella del quadro antico diventava insopportabile.

Il Martinati, dopo avere molto esitato, una notte che le due voci litigavano più aspramente del[3] solito, si decise finalmente. Andò nella sala da pranzo, staccò il quadro e, noncurante[4] del dialogo che vi si svolgeva, lo trasportò in soffitta posandolo in terra contro una vecchia poltrona sfondata. Quindi chiuse a chiave la porta e se ne tornò a letto.

---

1. adj. **verosimile**.
2. ⚠ plusieurs expressions formées sur **lungo** : *long*. Di gran lunga : *de très loin* (p. 80) ; **a lungo andare** : *à force* ; andare per le lunghe : *traîner en longueur, tourner autour du pot.*
3. pour le comparatif, voir note 14, p. 19.
4. préf. **non** + **curare** *(soigner)*.

Martinati dit à sa femme qu'à bien y regarder, les peintres modernes avaient peut-être raison de peindre de cette façon, hors de toute réalité et de toute vraisemblance. A la longue, une vivacité comme celle du tableau ancien devenait insupportable.

Martinati, après avoir longtemps hésité, se décida enfin, une nuit où les deux voix se querellaient plus vivement qu'à l'ordinaire. Il alla dans la salle à manger, décrocha le tableau et, indifférent au dialogue qui s'y déroulait, il l'emporta au grenier et le posa par terre contre un vieux fauteuil défoncé. Puis il ferma la porte à clef et retourna se coucher.

ITALO CALVINO
(1923-1985)

L'entrata in guerra

L'entrée en guerre

Calvino est sans doute le romancier et l'essayiste italien le plus connu en France. Presque toute son œuvre a été traduite, à l'exception de plusieurs nouvelles de jeunesse parmi lesquelles nous avons choisi celle qui suit.

Il est représentatif d'une génération d'intellectuels engagés qui ont trouvé, dans la Résistance et la nécessité morale de témoigner, leur première inspiration. Comme Vittorini et Pavese, il a adhéré au Parti communiste (qu'il quitte en 56) ; avec eux il a fondé la revue littéraire *Il Menabò* et a collaboré à la grande maison d'édition Einaudi.

Mais Calvino est singulier par la prodigieuse diversité des formes littéraires à travers lesquelles il s'est exprimé ; du roman réaliste : *Il sentiero dei nidi di ragno* (1947) (Le sentier des nids d'araignée), à la fable : *Marcovaldo* (1963), en passant par l'allégorie fantastique : la trilogie de *I nostri antenati* (1960) (Nos ancêtres), l'apologue politique : *La giornata di uno scrutatore* (1963) (La journée d'un scrutateur), la science-fiction : *Le cosmicomiche* (1965) (Cosmicomics) et les « machines narratives » à la Borges : *Le città invisibili* (1972) (Les villes invisibles), *Se una notte d'inverno un viaggiatore* (1979) (Si par une nuit d'hiver un voyageur) et *Palomar* (1985).

Il revendique, à juste titre, l'héritage de l'Arioste, de Voltaire et de Stendhal car, comme eux, il aime et sait raconter des histoires.

Il 10 giugno del[1] 1940 era una giornata nuvolosa. Erano tempi che non avevamo voglia di niente. Andammo alla spiaggia lo stesso, al mattino, io e un mio amico[2] che si chiamava Jerry Ostero. Si sapeva che al pomeriggio avrebbe parlato[3] Mussolini, ma non era chiaro se si sarebbe entrati[3] in guerra o no. Ai bagni[4] quasi tutti gli ombrelloni[5] erano chiusi[6]; passeggiammo sulla riva scambiandoci supposizioni e opinioni, con frasi lasciate a mezzo[7], e lunghe pause di silenzio.

Venne un po' di sole e andammo in moscone[8], noi due con una ragazza biondastra[9], dal lungo collo, che avrebbe dovuto flirtare con Ostero, ma che di fatto non flirtava. La ragazza era di sentimenti fascisti, e talvolta opponeva ai nostri discorsi un sussiego pigro, appena scandalizzato, come a opinioni che neanche valesse la pena confutare. Ma quel giorno era incerta e indifesa : era alla vigilia di partire, e le spiaceva[10]. Il padre, uomo emotivo, voleva allontanare la famiglia dal fronte[11] prima che la guerra divampasse[12], e già dal settembre aveva affittato una casa in un paesino[13] dell'Emilia[14]. Noi quel mattino in moscone continuammo a dire quanto sarebbe stato bello se non si entrava in guerra, in modo da[15] restare tranquilli a fare i bagni. Anche lei, a collo inclinato, con le mani tra i ginocchi[16], finí per ammettere : — Eh sí... Eh sí... sarebbe bello... — e poi, per rimandare quei pensieri : — Mah, speriamo che sia anche stavolta[17] un falso allarme...

---

1. Les dates annuelles sont précédées de l'art. défini car le mot **anno** est sous-entendu.
La scène se passe sur la côte ligure, tout près de la frontière française où aura lieu la première offensive de Mussolini avec la prise de Menton le 24 juin 1940.
2. ⚠ una sua sorella, un nostro vicino. Voir plus loin certe nostre fortificazioni, certe sue maligne...
3. ⚠ concordance des temps : le temps passé de la principale entraîne obligatoirement un temps passé (cond. passé ou imp. du subj.) dans la subordonnée.
4. **bagno** a trois sens : *bain, salle de bains, établissement balnéaire qui gère une plage privée.*
5. **ombrello :** *parapluie; parasol = grand parapluie.*
6. p. p. irrég. de **chiudere.**
7. m. à m. : *à moitié.*
8. littéralement : *grosse mouche.*
9. **-astro :** suff. péjoratif.

Le 10 juin 1940 était une journée nuageuse. C'était une époque où on n'avait envie de rien. Le matin, on alla à la plage quand même, moi et un de mes amis qui s'appelait Jerry Ostero. On savait que l'après-midi Mussolini allait parler mais allait-on ou non entrer en guerre, le doute subsistait. Sur la plage presque tous les parasols étaient fermés ; on se promena au bord de la mer en échangeant des suppositions et des opinions, avec des phrases laissées en suspens et de longues pauses de silence.

Il y eut un peu de soleil et on fit un tour de pédalo, nous deux et une fille blondasse, avec un long cou, qui était censée flirter avec Ostero mais qui en réalité ne flirtait pas. Cette fille avait des sentiments fascistes et parfois elle opposait à nos discours une moue nonchalante, tout juste un peu scandalisée, comme si nos opinions ne méritaient même pas d'être réfutées. Mais ce jour-là elle était hésitante et désemparée : elle était à la veille de partir et cela l'attristait. Son père, homme inquiet, voulait éloigner sa famille du front avant que la guerre ne fît rage et depuis le mois de septembre déjà il avait loué une maison dans un petit village d'Émilie. Nous, ce matin-là, en pédalo, on n'arrêtait pas de répéter que ça serait bien qu'on n'entre pas en guerre et qu'on puisse rester là tranquillement à se baigner. Elle aussi, la tête penchée, les mains entre les genoux finit par admettre : « Eh ! oui... Eh ! oui... Ce serait bien. » Et puis pour chasser ces pensées : « Bah ! espérons que ce sera, cette fois encore, une fausse alerte... »

---

10. **spiacere** (ou dispiacere) ≠ piacere. Suff. **s** privatif.
11. ▲ **il fronte** *(guerre)* ; la fronte *(visage)*.
12. vampa (littér.) : *flamme* ; **divampare :** *s'enflammer*.
13. **paese** a deux sens : *pays* ou *village*.
compaesano : *originaire du même village*.
14. **Emilia :** région du N.-E. de l'Italie entre la Lombardie, la Vénétie et la Toscane. Chef-lieu : Bologne.
15. m. à m. : *de manière à*.
16. le ginocchia (plur. irrég.) voir note 14 p. 17 si l'on considère les deux genoux comme un ensemble.
Ici **i ginocchi** (plur. rég.) car ils sont considérés comme deux éléments séparés entre lesquels se logent les mains.
17. fusion et abréviation de **questa volta** ; cf. **stasera**.

Incontrammo una medusa che galleggiava[1] alla superficie del mare ; Ostero ci passò sopra col moscone in modo da farla comparire ai piedi della ragazza e spaventarla. La manovra non riuscí, perché la ragazza non s'accorse[2] della medusa, e disse : — Oh, cosa ? Dove ? — Ostero fece vedere come maneggiava con disinvoltura le meduse ; la tirò a bordo con un remo, la mise a pancia all'aria. La ragazza squittí[3], ma poco ; Ostero ributtò la bestia in acqua.

Uscendo dallo stabilimento, Jerry mi raggiunse[4] tutto fiero. — L'ho baciata[5], — mi disse. Era entrato nella cabina di lei, esigendo un bacio d'addio ; lei non voleva, ma dopo una breve lotta gli era riuscito[6] di baciarla sulla bocca. — Il piú è fatto, ora, — disse Ostero. Avevano anche deciso che durante l'estate si sarebbero scritti. Io mi congratulai. Ostero, uomo di facili allegrie, mi batté delle forti, dolorose manate sulla schiena.

Quando ci ritrovammo verso le sei[7], eravamo entrati in guerra. Era sempre nuvolo ; il mare era grigio. Verso la stazione passava una fila di soldati. Qualcuno dalla balaustra della passeggiata[8] li applaudí. Nessuno dei soldati levò il capo.

Incontrai Jerry col fratello ufficiale che era in licenza e vestiva in borghese[9], elegante ed estivo. Si scherzò sulla fortuna che aveva ad andare in licenza il giorno dell'entrata in guerra.

Filiberto Ostero, il fratello, era altissimo, sottile e lievemente[10] piegato avanti, come un bambú, con un sarcastico sorriso sul volto[11] biondo.

---

1. a galla : *à la surface* ; stare a galla : *flotter* ; galleggiante : *flotteur*.
2. p. s. irrég. de **accorgersi**. ⚠ *Apercevoir :* scorgere.
3. **squittire** indique les cris de la souris.
4. p. s. irrég. de **(rag)giungere**.
5. on distingue **abbracciare** : *prendre dans ses bras, étreindre* et **baciare :** *donner un baiser*.
6. voir note 6, p. 38.
7. ⚠ indication de l'heure. La présence de l'article implique que le mot **ore** est sous-entendu.
8. la **passeggiata** est le lieu (rue principale, place, bord de mer) où se déroule la « cérémonie » quotidienne de la **passeggiata** *(promenade)* du soir dans toutes les villes et villages d'Italie. Elle a lieu entre 19 h et 21 h, avant le dîner ; elle se

On rencontra une méduse qui flottait à la surface de la mer ; Ostero passa dessus avec le pédalo pour la faire ressortir aux pieds de la fille et lui faire peur. La manœuvre échoua parce que la fille ne remarqua pas la méduse et dit : « Oh ! Quoi ? Où ? » Ostero montra avec quelle désinvolture il maniait les méduses ; il l'amena à bord avec une rame, la mit le ventre en l'air. La fille gloussa, juste un peu ; Ostero rejeta la bête à l'eau.

En sortant de l'établissement de bains, Jerry me rejoignit tout fier. « Je l'ai embrassée », me dit-il. Il était entré dans sa cabine, exigeant un baiser d'adieu ; elle ne voulait pas mais après une courte lutte il avait réussi à l'embrasser sur la bouche. « Le plus gros est fait maintenant », dit Ostero. Ils avaient même décidé qu'ils s'écriraient pendant l'été. Je le félicitai. Ostero, qu'un rien rendait heureux, me donna de grandes claques douloureuses dans le dos.

Quand on se retrouva vers six heures, nous étions entrés en guerre. Le temps était toujours nuageux ; la mer était grise. Vers la gare passait une colonne de soldats. Quelqu'un, de la balustrade de la *passeggiata* les applaudit. Aucun des soldats ne leva la tête.

Je rencontrai Jerry avec son frère officier, en permission, habillé en civil, élégant et estival. On plaisanta sur la chance qu'il avait d'entamer sa permission le jour de l'entrée en guerre.

Filiberto Ostero, le frère, était très grand, mince et légèrement penché en avant comme un bambou, avec un sourire sarcastique sur son visage blond.

---

répète, en été, après le dîner, et peut se prolonger tard dans la nuit. Un seul événement est capable de concurrencer ce phénomène social par excellence : les retransmissions télévisées des matchs de football.
9. *bourgeois*, *péquin*.
10. de lieve, syn. de leggero, mais plus littéraire.
11. **volto** : viso.

Ci sedemmo sulla balaustra vicino alla strada ferrata e lui raccontò del modo illogico come erano costruite certe nostre[1] fortificazioni sul confine[2], degli errori dei comandi nella dislocazione delle artiglierie. Veniva sera ; l'esile sagoma[3] del giovane ufficiale, ricurvo come una parentesi[4], con la sigaretta che gli fumava tra le dita[5] senza che lui la portasse mai alle labbra[6], spiccava contro il ragnatelo[7] dei fili ferroviari e contro il mare opaco. Ogni tanto un treno con cannoni e truppe manovrava e ripartiva verso il confine. Filiberto era incerto se rinunciare alla licenza e tornar subito al suo reparto[8] — spinto anche dalla curiosità di verificare certe sue maligne previsioni tattiche — o andare a trovare una sua amica a Merano[9]. Discusse col fratello di quante ore avrebbe potuto impiegare in macchina per arrivare a Merano. Aveva un po' paura che la guerra finisse mentre lui era ancora in licenza ; sarebbe stato spiritoso ma nocivo alla carriera. Si mosse per andare al casinò[10] a giocare ; secondo come gli sarebbe andata[11] avrebbe deciso sul da farsi[12]. Veramente lui disse : secondo quanto avrebbe vinto[13] ; difatti, era sempre molto fortunato.

E s'allontanò col suo sarcastico sorriso a labbra tese, quel sorriso con cui ancor oggi ci ritorna in mente l'immagine di lui, morto in Marmarica[14].

L'indomani ci fu il primo allarme aereo, in mattinata. Passò un apparecchio francese e tutti lo stavano a guardare a naso all'aria. La notte, di nuovo[15] allarme ; e una bomba cadde ed esplose[16] vicino al casinò.

---

1. voir note 2 p. 86.
2. syn. **frontiera**. Les **confinati** étaient les opposants au régime fasciste que le gouvernement envoyait en résidence surveillée dans les villages du Sud de l'Italie (Carlo Levi, Cesare Pavese, Carlo Ginzburg).
3. **Che sagoma !** *Quel type ! Quel drôle de numéro !*
4. les mots terminés en **i** sont invariables : **la crisi, l'analisi.**
5. rappel : le poss. est remplacé par un pron. compl.
6. rappel : plur. irrég. en **a.**
7. plutôt : **la ragnatela** ; composé de il **ragno** *(araignée)* et la **tela** *(toile).*
8. autres sens : *1. rayon* (grand magasin) ; *2. service* (hôpital).
9. station touristique (35 000 hab.) dans le Haut-Adige.
10. ⚠ ne pas confondre **casinò** et casino : *bordel.*
11. m. à m. : *comment (l'affaire) lui aurait réussi.* **Mi è andata**

Nous nous assîmes sur la balustrade près de la voie ferrée et il raconta la façon illogique dont étaient construites certaines de nos fortifications sur la frontière, les erreurs de l'état-major dans la dislocation de l'artillerie. Le soir tombait ; la fine silhouette du jeune officier, arqué comme une parenthèse, avec une cigarette qui fumait entre ses doigts sans que jamais il la portât à ses lèvres, se détachait contre la toile d'araignée des fils du chemin de fer et la mer opaque. De temps à autre, un train avec des canons et des troupes manœuvrait et repartait vers la frontière. Filiberto se demandait s'il devait renoncer à sa permission et rejoindre immédiatement son détachement — poussé aussi par la curiosité de vérifier certaines de ses perfides prévisions tactiques — ou aller rendre visite à une de ses amies à Merano. Il envisagea avec son frère combien d'heures il lui faudrait en voiture pour arriver à Merano. Il avait un peu peur que la guerre ne s'achevât pendant qu'il était encore en permission ; ça aurait été drôle mais préjudiciable à sa carrière. Il se leva pour aller au casino, jouer ; il déciderait ce qu'il devait faire selon la tournure du jeu. Pour être plus précis, il dit : en fonction de ce qu'il gagnerait ; en effet il avait toujours beaucoup de chance.

Et il s'éloigna avec son sourire sarcastique, lèvres tendues, ce sourire, aujourd'hui encore, indissociable de l'image qui nous revient de lui, mort en Marmarica.

Le lendemain, il y eut la première alerte aérienne, dans la matinée. Un avion français passa et tout le monde était là à le regarder, le nez en l'air. La nuit, nouvelle alerte ; une bombe tomba et explosa près du casino.

---

bene : *ça a bien marché*. **Non gli va bene niente** : *rien ne lui réussit* (ou *rien ne lui plaît*).
12. **da** exprime l'idée de nécessité. Voir plus haut **in modo da** : *de manière à* ; **le cose da fare** : *les choses à faire*.
13. p. p. irrég. de **vincere :** *gagner* (jeu, guerre). ▲ **guadagnare** : *gagner de l'argent*. **Io non guadagno molto e mi piacerebbe vincere al lotto**.
14. région côtière de la Libye, entre la Cyrénaïque et l'Égypte. La Libye, colonie italienne depuis 1912 sera évacuée en février 43 après la défaite des troupes italiennes, appuyées par les troupes allemandes de Rommel, devant l'offensive anglo-américaine.
15. *à nouveau*.
16. p. s. irrég. de **esplodere**. Cf. *explosion*.

Ci fu del parapiglia[1] attorno ai tavoli da gioco, donne che svenivano. Tutto era scuro perché la centrale elettrica aveva tolto la corrente all'intera città, e solo restavano accese[2] sopra i tavoli verdi le luci dell'impianto interno, sotto i pesanti paralumi[3] che ondeggiavano per lo spostamento d'aria.

Non ci furono vittime — si seppe[4] l'indomani — tranne un bambino della città vecchia che nel buio s'era versato addosso una pentola d'acqua bollente ed era morto. Ma la bomba aveva d'un tratto svegliato ed eccitato la città, e, come capita[5], l'eccitazione si rivolse[6] su un bersaglio[7] fantastico : le spie. Non si sentiva raccontare che di finestre viste[8] illuminarsi e spegnersi a intervalli regolari durante l'allarme, o addirittura[9] di persone misteriose che accendevano fuochi in riva al mare, e perfino[9] d'ombre umane che in aperta campagna facevano segnali agli aeroplani agitando una lampadina tascabile[10] verso lo stellato.

Con Ostero andammo a vedere i danni della bomba : lo spigolo di un palazzo buttato giú[11] una bombetta, una cosa da[12] niente. La gente era intorno e commentava : tutto era ancora nel raggio[13] delle cose possibili e prevedibili ; una casa bombardata, ma non si era ancora dentro la guerra, non si sapeva ancora cosa fosse[14].

Io invece non potevo togliermi di mente la morte di quel bambino bruciato nell'acqua bollente. Era stata una disgrazia, niente di piú, il bambino aveva urtato nel buio quella pentola, a pochi passi da sua madre.

---

1. composé de **para**(re) : *parer* et **piglia**(re) : *attraper*.
2. p. p. irrég. de **accendere** ≠ spegnere (p. p. spento).
3. de nombreux mots sont composés avec **para** : parapetto, parafango, paraocchi, parabrezza, paracarro, parafulmine...
4. p. s. irrég. de **sapere**. *Apprendre* se traduit de trois façons : insegnare *(enseigner)*, imparare *(acquérir un savoir)*, **sapere** *(une nouvelle)*.
5. △ **capitare** : *arriver* (pour un fait) ; arrivare (fin d'un déplacement).
6. p. s. irrég. de **(ri)volgersi** : *se retourner, s'adresser à quelqu'un.*
7. c'est de ce mot et de leur probable habileté au tir que prennent leur nom les **bersaglieri**, ce corps d'infanterie célèbre pour son pas de course et son superbe chapeau à plumes.
8. p. p. irrég. de **vedere**.

Il y eut du chambardement autour des tables de jeu, des femmes qui s'évanouissaient. C'était l'obscurité parce que la centrale électrique avait coupé le courant dans toute la ville et seules restaient allumées au-dessus des tables vertes les lampes du circuit intérieur sous les lourds abat-jour qui se balançaient à cause du déplacement d'air.

Il n'y eut pas de victimes — on l'apprit le lendemain —, sauf un enfant de la vieille ville qui dans l'obscurité avait renversé sur lui une marmite d'eau bouillante et qui était mort. Mais la bombe avait soudain réveillé et excité la ville et, comme cela arrive, l'excitation se reporta sur une cible imaginaire : les espions. On n'entendait parler que de fenêtres qu'on avait vu s'éclairer et s'éteindre à intervalles réguliers pendant l'alerte, ou même de personnes mystérieuses qui allumaient des feux au bord de la mer et jusqu'à des ombres humaines qui en pleine campagne faisaient des signaux aux aéroplanes en agitant une lampe de poche vers le ciel.

Avec Ostero, on alla voir les dégâts de la bombe : l'angle d'un immeuble abattu, une petite bombe de rien du tout. Les gens étaient là autour et commentaient : tout était encore dans l'ordre des choses possibles et prévisibles ; une maison bombardée mais on n'était pas encore dans la guerre, on ne savait pas encore ce que c'était.

Moi, en revanche, je ne pouvais pas m'ôter de l'esprit cet enfant mort ébouillanté. Un malheur, rien de plus ; l'enfant avait heurté la marmite dans le noir, à quelques pas de sa mère.

---

9. on notera la progression entre anche *(aussi)*, **addirittura** *(même)*, **perfino** *(jusqu'à)*.
10. composé de **tasca** *(poche)* et suff. **-abile** (-able).
Ex. : **probabile, amabile, imputabile**.
11. cet adv. *(en bas, vers le bas)* est souvent employé avec des verbes d'état ou de mouvement : **andare giù** *(descendre)*, **mandare giù** *(avaler)*, **mettere giù** *(poser)*. ≠ **mettere su** *(dresser, installer)*, **tirare su** *(ramasser)*.
12. autre sens de **da :** *la valeur.* Un **biglietto da mille lire,** un **peso da dieci chili.**
13. *rayon.*
14. imp. du subj. du v. être. ⚠ chaque fois qu'il y a doute, incertitude, supposition, l'italien emploie le subjonctif. Voir plus haut p. 86 **prima che la guerra divampasse** ; **speriamo che sia un falso allarme** ; p. 90 **aveva un po' paura che la guerra finisse.**
Noter aussi la concordance entre les temps de la principale et de la subordonnée.

Ma la guerra dava una direzione, un senso generale all'irrevocabilità idiota della disgrazia fortuita, solo indirettamente imputabile alla mano che aveva abbassato la leva[1] della corrente alla centrale, al pilota che ronzava invisibile nel cielo, all'ufficiale che gli aveva segnato la rotta[2], a Mussolini che aveva deciso la guerra...

La città era traversata di continuo da macchine militari che andavano al fronte, e macchine borghesi che sfollavano con le masserizie[3] legate sopra il tetto. A casa[4] trovai i miei[5] genitori turbati dagli ordini d'evacuazione immediata per i paesi delle vallate pre-alpine.

Mia[5] madre, che sempre in quei[6] giorni paragonava la nuova guerra alla vecchia per significare come in questa[6] non vi fosse nulla della trepidazione familiare, del sommovimento d'affetti[7] di quell'altra[6], e come le stesse parole, « fronte », « trincea » suonassero irriconoscibili ed estranee[6], ora ricordava gli esodi dei profughi veneti[9] del '17, e il diverso clima d'allora, e come questo[6] « evacuamento » d'oggi suonasse ingiustificato, imposto con un freddo ordine d'ufficio.

Mio[5] padre che sulla guerra diceva solo cose fuori luogo[10], perché, essendo vissuto[11] in America durante il primo quarto del secolo, era rimasto un uomo spaesato all'Europa ed estraneo ai tempi, ora vedeva anche sconvolgersi lo scenario[12] immutabile delle montagne familiari a lui dall'[13] infanzia, il teatro delle sue gesta[14] di vecchio cacciatore.

---

1. 1. *levier.* Fare leva : *faire pression* ; 2. *recrutement.* La leva del 1940 : *la classe 40.*
2. ▲ ne s'emploie que pour les navires ou les avions. Mais : una strada di campagna.
3. *objets et meubles d'une maison.*
4. plusieurs expressions se construisent aussi sans articles : **a casa,** a scuola, a teatro, a messa, a letto.
5. en italien le possessif s'emploie le plus souvent avec l'article défini : la tua casa, i miei genitori, le sue labbra, i suoi cani. Mais devant les noms de parenté proche, au sing., sans adj. et sans diminutif, l'article disparaît : mia madre ; suo padre ; tuo zio. Sauf pour **loro** : il **loro** padre.
6. deux formes de l'adj. démonstratif selon que la chose est proche **questo** ou éloignée **quello**, dans le temps ou l'espace.
7. m. à m. : *bouleversement de sentiments.*

Mais la guerre donnait une orientation, un sens général à la fatalité stupide de l'accident fortuit qu'on ne pouvait qu'indirectement imputer à la main qui avait abaissé la manette du courant à la centrale, au pilote qui vrombissait invisible dans le ciel, à l'officier qui lui avait tracé la route, à Mussolini qui avait décidé la guerre...

La ville était sans arrêt sillonnée par des voitures militaires qui allaient au front et par des voitures civiles qui quittaient la ville avec leur fourniment ficelé sur le toit. En rentrant je trouvai mes parents troublés par des ordres d'évacuation immédiate pour les villages des vallées préalpines.

Ma mère, qui ne cessait au cours de ces journées de comparer la nouvelle guerre à l'ancienne pour dire que dans celle-ci il n'y avait rien de l'effervescence familière, de l'émotion fébrile de l'autre, que les mêmes mots « front », « tranchée » avaient une résonnance méconnaissable et insolite, évoquait maintenant l'exode des réfugiés vénètes de 17 et le climat d'alors, et considérait cette « évacuation » d'aujourd'hui comme injustifiée, imposée par une froide décision bureaucratique.

Quant à mon père, il n'avait sur la guerre que des propos incongrus, car ayant vécu en Amérique pendant le premier quart du siècle c'était désormais un homme dépaysé en Europe et étranger à cette époque ; il assistait maintenant, de surcroît, au bouleversement du décor montagneux immuable qui depuis l'enfance lui était familier, théâtre de ses exploits de vieux chasseur.

---

8. **straniero** : *étranger au pays* ; **forestiero** : *étranger à la ville* ou *à la région* ; **estraneo** : *étranger à une situation.*
9. **veneto :** *de la Vénétie.* **Veneziano :** *de Venise* (Venezia).
10. m. à m. : *hors du lieu.*
11. le v. **vivere** (p. p. irrég. **vissuto**) se conjugue avec l'aux. être quand il est intransitif et avec l'aux. avoir quand il est transitif.
E' vissuto dieci anni in America dove ha vissuto straordinarie avventure.
12. ▲ *scénario d'un film :* sceneggiatura.
13. rappel : **da** indiquant l'origine.
14. il gesto. Deux pluriels. I gesti *(du corps),* **le gesta** *(les exploits),* cf. *chanson de geste ; les faits et gestes.*

Era preoccupato di sapere, tra i colpiti dall'ordine, i compagni di caccia che contava in ogni paese sperduto, e i poveri coltivatori che gli chiedevano perizie[1] per ricorrere contro il fisco, e gli avari querelanti[2] le cui liti era chiamato a dirimere, camminando ore e ore per definire i diritti d'irrigazione d'una magra fascia di terreno. Ora già vedeva le fasce abbandonate tornar gerbide[3], i muri a secco franare[4], e dai boschi emigrare, spaventate dai colpi di cannone, le ultime famiglie di cinghiali che ogni autunno egli inseguiva coi suoi cani.

Per gli evacuati — dicevano i giornali — il Fascio[5] e le Opere assistenziali[6] avevano provveduto a organizzare alloggi[7] in paesi della Toscana, e servizi di trasporto e di ristoro[8] in modo che non mancassero di nulla. Nel palazzo delle scuole elementari della nostra città fu allestito un posto di ricovero e di smistamento. Tutti gli iscritti alla Gil[9] furono convocati, in divisa, a prestar servizio. Dei nostri compagni di scuola i più erano via[10], e si poteva anche far finta di non aver ricevuto la chiamata[11]. Ostero m'invitò ad accompagnarlo a provare un'auto nuova che i suoi dovevano comprare, dopo che la loro era stata requisita dall'esercito. Gli dissi : — E l'adunata[12] ?

— Be', siamo in vacanza ; mica[13] possono più sospenderci da scuola.

— Ma è per i profughi...

— E che cosa possiamo farci noi ? Ci pensino[14] quelli che gridavano sempre : « guerra, guerra ! »

---

1. *expertise* ; **perito** : *expert.*
2. **querelare** = sporgere querela : *porter plainte.*
3. mot rare.
4. dans la langue argotique : **una frana** : *une ruine, un croulant.*
5. l'État fasciste proclamé par Mussolini en janvier 26, étape finale de la conquête de l'État qui avait commencé avec les pleins pouvoirs à Mussolini en 1922 et la majorité à la Chambre après les élections de 1924.
6. l'un des innombrables organismes créés par le fascisme pour contrôler toutes les activités (travail, sport, loisirs) des citoyens.
7. *logement* ; **vitto e alloggio** : *couvert et gîte.*
8. d'où le mot **ristorante.**
9. sigle de la **Gioventù Italiana del Littorio** *(jeunesse italienne du fascisme)* créée en 1937 pour regrouper toutes les organisations qui avaient le monopole de la jeunesse de 4 à 18 ans.

Il se demandait, parmi ceux que cet ordre visait, combien étaient ses compagnons de chasse dispersés dans tous les villages perdus, et les pauvres cultivateurs qui lui demandaient conseil pour un recours contre le fisc, et les plaignants avares dont il était appelé à régler les litiges, marchant pendant des heures pour définir les droits d'irrigation d'une maigre bande de terrain. Il voyait déjà les lopins de terre abandonnés retourner en friche, les murs de pierre sèche s'écrouler et, effrayées par les coups de canons, les dernières familles de sangliers que chaque automne il poursuivait avec ses chiens, sortir des bois.

Pour les réfugiés — disaient les journaux —, le gouvernement et les œuvres d'aide sociale s'étaient chargés d'organiser l'hébergement dans des villages de Toscane et des services de transport et de ravitaillement pour qu'ils ne manquent de rien. Dans le bâtiment de l'école primaire de notre ville, on aménagea un centre d'hébergement et de tri. Tous les membres de la G.I.L. furent convoqués, en uniforme, pour prêter main-forte. La plupart de nos camarades de classe étaient en vacances et on pouvait toujours faire semblant de ne pas avoir reçu la convocation. Ostero m'invita à l'accompagner pour essayer une nouvelle voiture que ses parents devaient acheter puisque la leur avait été réquisitionnée par l'armée. Je lui dis :

— Et la réunion ?

— Bof ! nous sommes en vacances ; ils ne peuvent pas nous renvoyer de l'école.

— Mais c'est pour les réfugiés...

— Et qu'est-ce que nous pouvons y faire ? Ils n'ont qu'à se débrouiller ceux qui n'arrêtaient pas de crier : « guerre, guerre ! ».

Sa devise était : **credere, obbedire, combattere** : *croire, obéir, combattre.*

10. **via** adv. : *loin.*

11. *appel* ; du v. **chiamare.**

12. réunion hebdomadaire obligatoire pour tous les jeunes, consacrée à l'endoctrinement et aux exercices sportifs. Un tampon sur une carte justifiait de la présence à la réunion, faute de quoi on ne pouvait pas retourner à l'école. Première de toute une série de sanctions.

13. **mica** n'a aucun sens propre et renforce la négation.

14. **pensarci :** *y penser* dans le sens de *s'en charger.* **Lasciami fare, ci penso io.**

Invece a me questo fatto dei « profughi » esercitava un richiamo, di cui non avrei bene saputo spiegare la ragione. C'entrava[1] forse il moralismo dei miei genitori, quello civile, da guerra del'15[2], interventista e pacifista insieme, di mia màdre, e quello etnico, locale di mio padre, la sua passione per quei paesi trascurati[3] e angariati ; e come[4] già per il bambino dell'acqua bollente cosí ora riconoscevo nell'immagine di questa torma smarrita[5] che la parola « profughi » mi suscitava, un fatto vero e antico, in cui ero in qualche modo coinvolto[6]. Certo la mia fantasia vi[7] trovava piú esca[8] che coi carri armati, le corazzate, gli aeroplani, le illustrazioni di « Signal », tutta quell'altra faccia della guerra su cui s'appuntavano[9] la generale attenzione e pure[10] l'acidula ironia tecnica del mio amico Ostero.

Da una vecchia corriera, alla gradinata delle scuole, scaricavano[11] profughi. Io venivo in divisa d'avanguardista[12]. Al primo sguardo, quella gente aggrumata[13], quell'aspetto cencioso[14], ospedaliero, mi diede un'ansia come arrivassi[15] sulla linea del fuoco. Poi vidi[16] che le donne, coi fazzoletti[17] neri in capo, erano le solite da sempre viste a raccogliere olive, a pascolare capre, che gli uomini erano i soliti, chiusi tipi dei nostri agricoltori, e mi sentii in un giro[18] piú familiare, ma insieme fatto estraneo, tagliato via[19] ; perché loro, questa génte, per me erano già stati una pena, un rimprovero — per me diverso da mio padre — a vederli, che so ?

---

1. voir note 1 p. 16.
2. l'Italie n'est entrée dans la Première Guerre mondiale qu'en 1915. On dit : la guerra del 15-18. **Da** : *qui faisait penser à...*
3. curare *(soigner)* ≠ **trascurare** *(négliger)*.
4. le comparatif *de même que... de même* ou *aussi.. que* est rendu par **cosí... come** (ou tanto... quanto).
è cosí inquieto come suo padre.
era tanto stupido fuggire quanto imprudente restare.
5. **smarrire** s'emploie aussi au sens propre : smarrire un oggetto.
6. p. p. irrég. de **(co) (in)volgere**.
7. *y* se traduit par ci ou **vi**.
8. **esca** : *appât, amadou.*
dare esca al fuoco : *jeter de l'huile sur le feu.*
9. de punta : *pointe ; fixer, épingler.*
10. syn. : anche ; ≠ neppure : *pas même.*

Mais moi j'étais attiré par cette histoire de « réfugiés » sans trop savoir pourquoi. Attirance où se mêlaient peut-être le moralisme de mes parents, moralisme civique type Première Guerre mondiale, à la fois interventionniste et pacifique de ma mère, et le moralisme ethnique, chauvin, de mon père, sa passion pour cette région délaissée et brimée ; et comme tout à l'heure pour l'enfant ébouillanté, je reconnaissais maintenant dans cette image de foule désemparée, que suscitait en moi le mot « réfugiés », une réalité tangible et séculaire où j'étais en quelque sorte impliqué. Mon imagination y trouvait à coup sûr plus d'appât que dans les chars, les cuirassés, les aéroplanes, les illustrations de « Signal », toute cette autre face de la guerre qui retenait l'attention générale et même l'acerbe ironie technique de mon ami Ostero.

Devant le grand escalier de l'école, des réfugiés débarquaient d'un vieil autocar. J'arrivais en uniforme d'*avanguardista*. Dès le premier regard, ces gens agglutinés, cette atmosphère de pouillerie et d'hôpital, m'angoissèrent comme si j'arrivais sur le front des combats. Puis je vis que les femmes avec leur fichu noir sur la tête étaient celles-là mêmes que j'avais vues depuis toujours cueillir les olives, faire paître les chèvres, que les hommes étaient eux aussi semblables à nos paysans taciturnes et je me sentis dans un milieu plus familier mais en même temps étranger à ce monde, exclu ; car c'étaient ces mêmes hommes, ces mêmes gens, qui avaient été pour moi une douleur, un reproche vivant — pour moi qui étais différent de mon père — lorsque je les voyais, que sais-je ?

---

11. ≠ **caricare** : *charger* ; **carico** : *chargement* ; **incaricarsi** : *se charger*.
12. **avanguardista :** dans les organisations fascistes pour la jeunesse, les garçons étaient **Figli della Lupa** *(Fils de la Louve)* de 4 à 8 ans, **Balilla** de 8 à 14 ans, **Avanguardisti** de 16 à 18 ans.
13. de **grumo** : *grumeau*.
14. prov. **Sono sempre i cenci che vanno all'aria** *(ce sont toujours les chiffons qui s'envolent) : ce sont toujours les petits qui trinquent.*
15. **come** (se io) **arrivassi :** cas typique de l'emploi du subj. après **come se**
16. p. s. irrég. de **vedere**.
17. **fazzoletto** (da naso) : *mouchoir*.
18. fare un **giro** : *faire un tour* ; **giro di frase** : *tournure de phrase* ; **giro di gente** : *cercle de gens*.
19. à la fois *coupé* **(tagliato)** *et rejeté* **(via)**.

imbastare dei muli, aprire all'acqua i solchi in una vigna[1] con la vanga, senza poter con loro avere mai un rapporto, mai pensare di potere venir loro[2] in aiuto. E tali ancora per me restavano, appena un po' piú concitati, gente intenta a una loro preoccupata fatica, a porgersi[3] — padri e madri — i bambini giú[4] dalla corriera, e cercare coi vecchi[5] sulla gradinata di tener serrate e separate le famiglie ; e io cosa potevo fare per loro ? Era inutile pensare[6] d'aiutarli.

Salii la gradinata e dovevo andare piano perché avanti a me gradino per gradino sostenevano una vecchia, in gonna e scialle neri, con le braccia aperte e le secche mani cosparse[7] di oscure galle come rami ammalati. I bambini tenuti in braccio in fagotti[8] dai colori ingialliti sporgevano tonde teste come di zucca. Una donna che aveva sofferto[9] il viaggio vomitava tenendosi la fronte ; i parenti immobili facevano cerchio attorno guardandola[10]. Io tutta questa gente non la amavo.

I corridoi delle scuole erano diventati accampamenti o corsie. Le famiglie erano approdate[11] rasente i muri, e sedute su panche, coi fagotti, i bambini, i malati sulle barelle, e i capigruppo[12] che facevano la conta dei loro e mai ne venivano a capo[12]. Seminati e spersi per queste rintronanti navate[13] si vedevano balilla[14], soldati, funzionari in sahariana o in abito civile, ma le uniche a comandare — si capiva — erano cinque o sei badesse[15] della Croce Rossa, tutte tendini e nervi, imperiose come caporali, che manovravano quella folla incerta di profughi e organizzatori e soccorritori come in una piazza d'armi, perseguendo un qualche piano solo a loro noto.

---

1. **la vigna :** le vignoble ; la vite : la vigne (plante). ▲ ne pas confondre avec la vita : la vie ou le tour de taille.
2. ▲ le pronom compl. **loro** se place toujours après le verbe.
3. **porgere :** tendre ; ex. : porgere la mano.
4. voir note 11, p. 93.
5. les mots en **io** font leur pluriel en **i** sauf si le **i** de la terminaison porte l'accent : mormorío, mormorii.
6. ▲ la construction se fait sans préposition. Il s'agit simplement d'une inversion du sujet, l'infinitif. È facile dire, è difficile fare, è comodo agire cosí.
7. p. p. irrég. de **(co)spargere**.
8. ▲ **fagotto :** 1. baluchon ; far fagotto : plier bagage ; 2. basson ; fagot : fascina.

bâter des mulets, creuser à la bêche les sillons d'irrigation d'une vigne, sans pouvoir jamais entrer en contact avec eux, leur venir en aide.

Et pour moi, ils n'avaient pas changé, juste un peu plus agités, occupés à quelque tâche inquiète, comme se passer les enfants — entre père et mère — pour les faire descendre de l'autocar, ou chercher avec les vieux à bien regrouper et séparer chaque famille sur l'escalier ; et moi qu'est-ce que je pouvais faire pour eux ? Inutile de penser à les aider.

Je gravis les escaliers mais il me fallait aller doucement parce que devant moi, marche après marche, on soutenait une vieille femme, en jupe et châle noirs, les bras écartés et ses mains sèches semées de galles brunes comme des branches malades. Les enfants qu'on portait emmaillotés dans des chiffons jaunis laissaient dépasser des têtes rondes comme des courges. Une femme qui n'avait pas supporté le voyage vomissait en se tenant le front ; ses parents immobiles faisaient cercle autour d'elle en la regardant. Je n'aimais pas tous ces gens.

Les couloirs de l'école étaient devenus des campements ou des travées d'hôpital. Les familles avaient échoué là, rasant les murs, assises sur des bancs, avec leurs baluchons, leurs enfants, les malades sur des civières et les chefs de groupe qui comptaient les leurs sans jamais en venir à bout. Disséminés et éparpillés dans ces nefs sonores on voyait des *balilla*, des soldats, des fonctionnaires en saharienne ou en tenue civile, mais on comprenait vite que les seules qui commandaient étaient cinq ou six matrones de la Croix-Rouge, tout tendons et nerfs, autoritaires comme des caporaux qui manœuvraient cette foule hésitante de réfugiés, organisateurs et secouristes comme sur une place d'armes, poursuivant un plan connu d'elles seules.

---

9. **soffrire :** *souffrir*. Si le verbe est trans., il signifie *ne pas supporter, souffrir de, redouter*.
Io soffro la macchina ma soffro di più la corriera e il caldo.
10. le pronom compl. s'accroche au gérondif. (Rappel : il s'accroche aussi au verbe à l'infinitif et à l'impératif.)
11. de **proda :** *rivage*.
12. **capo :** 1. *tête, chef* ; 2. *extrémité*. En musique **da capo :** *en reprenant au début*. Voir note 1, p. 58.
13. de **nave :** *bateau*.
14. **balilla :** voir note 12, p. 99.
15. **badessa :** *abbesse* ou *matrone*. Badia : *abbaye*.

L'ordine di mobilitazione per gli avanguardisti non aveva avuto molto seguito[1], pareva, neanche tra quei tipi che erano sempre pronti a mettersi in parata. Vidi qualcuno dei graduati, che se ne stavano per conto loro[2] e fumavano. Due avanguardisti si picchiavano e per poco[3] non investivano[4] una profuga. Nessuno aveva l'aria d'aver qualcosa da fare. Io avevo finito il giro del corridoio ed ero arrivato a una porta dalla parte opposta. Ormai[5] sapevo tutto e potevo tornarmene a casa.

Da quella parte la scalinata era deserta. C'era soltanto, appoggiata a un muro, su un ripiano a metà[6] della scala, una cesta : e dentro la cesta c'era un vecchio. La cesta era di quelle grandi e basse, di vimini, con due manici[7], da reggere in due[8] ; era addossata contro il muro quasi verticalmente ; il vecchio stava accoccolato sul bordo che poggiava in terra, con il fondo per schienale[9]. Era un piccolo vecchio rattrappito ; un paralitico, dal modo informe in cui aveva ripiegate le gambe ; ma il tremito che l'agitava non lo lasciava immobile un istante e facevɑ ondeggiare la cesta contro il muro. Sdentato, balbettava a bocca aperta, con lo sguardo fisso in avanti, ma non atono, anzi, colmo[10] d'una vigile, selvatica tensione ; uno sguardo da gufo[11], sotto l'ala d'una berretta calcata[12] sulla fronte.

Io presi a scendere la scala e gli passai davanti, attraverso il raggio di quei suoi occhi sbarrati. Le mani non doveva averle paralizzate : grosse e ancora piene di forza, erano strette[13] all'impugnatura[14] d'un corto nodoso bastone.

---

1. *suite* ; in seguito : *par la suite.*
2. m. à m. : *pour leur compte.* Per conto mio : *pour ma part.*
3. cf. *il s'en était fallu de peu qu'ils ne bousculent.*
4. **investire** appartient hélas au vocabulaire quotidien de l'automobile : investire una persona o un'altra macchina.
5. *désormais.*
6. ⚠ **la metà :** *la moitié* et la meta : *le but.*
7. les mots en co et go font chi et ghi au pluriel. Lago, laghi ; bianco, bianchi.; stanco, stanchi. Sauf : 1. les mots sdruccioli (accent sur l'antépénultième) : paral*i*tico, paral*i*tici ; **manico, manici** ; astr*o*logo, astr*o*logi ; scol*a*stico ; scol*a*stici.
2. quatre mots **piani** : amico, amici ; nemico, nemici ; porco, porci ; greco, greci.

L'ordre de mobilisation des *avanguardisti* n'avait pas eu beaucoup de succès, semblait-il, même parmi ceux qui étaient toujours
prêts à parader. Je vis quelques-uns des gradés qui se tenaient
dans un coin et fumaient. Deux *avanguardisti* se battaient et faillirent bousculer une réfugiée. Personne ne semblait avoir quoi que
ce soit à faire. Moi j'avais fini d'arpenter le couloir et j'étais arrivé
à une porte à l'autre bout. Maintenant je savais tout et je pouvais
rentrer chez moi.

De ce côté-là, l'escalier était désert. Il y avait seulement, ap-
puyée à un mur, sur un palier à mi-escalier, une corbeille : et dans
la corbeille il y avait un vieillard. C'était une de ces grandes
corbeilles basses, d'osier, avec deux poignées, à porter à deux ;
elle était adossée au mur, presque verticalement ; le vieillard était
recroquevillé sur le bord qui posait à terre et le fond lui servait de
dossier. C'était un petit vieux rabougri ; paralysé à en juger par la
pliure informe de ses jambes ; mais le tremblement qui l'agitait ne
lui laissait pas un instant d'immobilité et faisait vaciller la corbeille
contre le mur. Édenté, il balbutiait, bouche ouverte, le regard
devant lui, fixe, mais pas vide et même plein d'une tension vigi-
lante et sauvage ; un regard de hibou, sous la visière d'une casquette enfoncée sur son front.

Je me mis à descendre l'escalier et je passai devant lui dans le
rayon de ses yeux écarquillés. Ses mains ne devaient pas être
paralysées : grosses et encore pleines de force, elles serraient la
poignée d'une canne courte et noueuse.

Mais des exceptions à cette règle : **pr *o*fugo, pr *o*fughi** ;
di *a*logo, di *a*loghi...
8. ▲ l'indication d'un nombre de personnes.
Sono arrivati in tre. In quella casa vivevano in cinque.
9. de **schiena** : *dos* ; **mal di schiena** : *mal aux reins*.
10. syn. **pieno. Il colmo :** *le comble*.
11. voir note 5 p. 62 : *qui faisait penser à un hibou*.
uno sguardo di gufo : *le regard du hibou*.
12. **calcare :** *tasser, piétiner*. D'où **calcare :** *calquer, mouler*.
Même racine que **calcagno :** *talon*.
13. p. p. irrég. de **stringere** ; **stretto** adj. : *étroit*.
14. **impugnare** (de pugno) : *empoigner*.

Stavo per[1] oltrepassarlo quando il suo tremito si fece piú forte e il suo balbettío piú affannoso ; e quelle mani strette all'impugnatura s'alzavano e s'abbassavano picchiando in terra la punta[2] del bastone. Io m'arrestai. Il vecchio, stanco, batteva il bastone sempre piú piano, e dalla bocca gli usciva solo un soffio lento. Feci per[3] allontanarmi. Sussultò come preso dal singhiozzo[4], bastonò il terreno, riprese a farfugliare ; e s'agitava tanto che la cesta rimbalzava contro il muro e perdeva l'equilibrio. Stavano per[1] rotolare giú[5] per le scale, lui e la cesta, se non ero svelto[6] a trattenerla. Mettere la cesta in una posizione sicura non era facile, con la forma ovale che aveva, e col peso morto di lui dentro che tremava senza potersi spostare d'un millimetro ; e io dovevo stare sempre pronto con una mano a tenerla se scivolava di nuovo. Ero immobilizzato anch'io come il paralitico, a metà di quella scalinata deserta.

Finalmente la scala si riempí d'agitazione. Corsero[7] su[5] due della Croce Rossa, scalmanati, e mi dissero : — Dài[8] anche tu, prendi di qui[9] ! Tieni ? E muoviti, dài, su[8] ! — e tutti insieme sollevammo il cesto col vecchio e lo trasportammo di volata[10] per la rampa di scale, fin[11] dentro l'edificio scolastico, tutto di gran furia, come se non avessimo[12] fatto altro da un'ora, e questa fosse[12] la fase finale, e io solo dessi[12] segni di stanchezza[13] e pigrizia[14].

Entrando nel corridoio affollato li perdetti. Vedendomi guardare in giro, un capomanipolo[15] che passava in fretta disse : — Ah, tu, è questa l'ora di arrivare all'adunata ? Vieni qua, che c'è bisogno di te ! — e rivolto a un signore in abito civile : — Siete voi[16], signor maggiore, che siete scoperto d'un uomo ? Vi do in forza questo qui.

---

1. rappel : **stare per** + infinitif rend le futur proche : *être sur le point de*.
2. on dit aussi **la punta del dito, la punta del naso**.
3. **feci** (il gesto, il movimento) per allontanarmi.
4. *hoquet* ou *sanglot*.
5. rappel : emploi des deux adverbes **su** *(en haut)* **giù** *(en bas)* pour préciser le sens du verbe.
6. *rapide, vif, leste*.
7. p. s. irrég. de **correre**.
8. de nombreuses interjections incitent au mouvement : **su, dai**, via, forza, avanti !
9. ▲ **qui, qua** : *ici* ≠ lì, là : *là-bas*.
10. de **volare** : *voler*.

J'allais le dépasser quand son tremblement devint plus fort et son balbutiement plus haletant ; et ces mains agrippées se levaient et s'abaissaient frappant le sol du bout de sa canne. Je m'arrêtai. Le vieillard, fatigué, frappait de plus en plus doucement et de sa bouche ne sortait qu'un souffle étiré. Je m'apprêtai à m'éloigner. Il tressaillit comme pris de hoquet, se remit à cogner et à bafouiller ; et il s'agitait tellement que la corbeille rebondissait contre le mur et perdait l'équilibre. Ils allaient rouler dans l'escalier, lui et la corbeille, si je ne m'étais pas précipité pour la retenir. Mettre la corbeille en position stable n'était pas chose facile étant donné sa forme ovale et le poids mort qu'elle contenait et qui tremblait sans pouvoir se déplacer d'un millimètre ; et je devais à tout moment me tenir prêt à la retenir d'une main si elle glissait à nouveau. J'étais immobilisé moi aussi comme le paralytique, au milieu de cet escalier désert.

Enfin l'escalier se remplit d'agitation. Deux hommes de la Croix-Rouge grimpèrent quatre à quatre, excités, et me dirent : « Allez, toi aussi, prends par ici ! Tu tiens ? Dépêche-toi, allez, vite ! » et tous ensemble nous soulevâmes la corbeille avec le vieux et nous le portâmes d'un bond à travers les escaliers jusque dans le bâtiment scolaire, à toute allure, comme si nous n'avions fait que ça depuis une heure, comme si c'était la phase finale de l'opération et que moi seul je donnais des signes de fatigue et de paresse.

En entrant dans le couloir bondé je les perdis. En me voyant regarder autour de moi, un chef de compagnie qui passait en courant me dit : « Eh ! toi, c'est maintenant que tu arrives à la réunion ? Viens ici, on a besoin de toi ! » et s'adressant à un homme en civil : « C'est à vous, major, qu'il manque un homme ? Je vous donne celui-ci en renfort. »

---

11. **fino :** *jusque* se construit avec la prép. a lorsqu'il précède un nom ou un pronom.
12. voir note 14, p. 93.
l'imparfait du subjonctif est un temps régulier pour tous les verbes sauf : **essere (fossi), dare (dessi),** stare (stessi).
13. adjectif : **stanco.**
14. adjectif : **pigro.**
15. le fascisme avait repris au monde romain dont il rêvait de reconstituer l'Empire et la grandeur, des termes liés à l'organisation militaire (les faisceaux des licteurs, le manipule...).
16. rappel : **sono io, sei tu, siete voi**... *c'est moi, c'est toi...*
Lei e voi : le chef aurait dû s'adresser au major en lui parlant à la 3e personne : **è Lei signor maggiore che è scoperto.** Mais le fascisme avait aboli l'emploi de cette forme qu'il jugeait trop bourgeoise pour lui substituer le **voi** plus populaire et viril.

Tra due file di pagliericci dove povere donne si toglievano i pesanti scarponi[1] o allattavano bambini, c'era un signore tondo e roseo, col monocolo, i capelli dall' esatta scriminatura d'un fulvo che pareva di tintura o di parrucca, coi pantaloni bianchi, le scarpe con la mascherina bianca e la punta gialla traforata ; sulla manica della giacchetta d'alpagà nera aveva una fascia azzurra con la sigla dell'UNUCI[2]. Era il maggiore Criscuolo, meridionale, pensionato, nostro conoscente.

— Io veramente, — disse il maggiore, — non ho bisogno di nessuno. Qui sono già tutti cosí ben organizzati. Ah, sei tu ? — disse riconoscendomi, — come sta la mamma ? e il professore ? Be', stattene qua, ora vediamo[3].

Restai al suo fianco ; lui fumava nel bocchino di ciliegio[4]. Mi chiese se volevo una sigaretta ; dissi di no[5].

— Qui, — disse stringendosi nelle spalle[6], — non c'è nulla da fare.

Intorno i profughi stavano trasformando i locali scolastici in un labirinto di vie di povero paese, sciorinando lenzuola[7] e legandole[8] a corde per spogliarsi, ribattendo chiodi alle scarpe, lavando calze e mettendole[8] a stendere, traendo[9] dai fagotti fiori di zucca fritti[10] e pomodori ripieni, e cercandosi[8], contandosi[8], perdendo e ritrovando roba.

Ma il dato caratteristico di quest'umanità, il tema discontinuo ma sempre ricorrente e che per primo[11] veniva allo sguardo — cosí come entrando in una sala di ricevimento l'occhio vede solo i seni e le spalle delle dame piú[12] scollate

---

1. **scarpa** + **one**, suff. augmentatif.
2. **Unione Nazionale Ufficiali in Congedo d'Italia**, *Union nationale des Officiers italiens à la retraite.*
3. le futur très proche est souvent rendu par le présent précédé de **ora**, adesso *(maintenant)* ou **fra poco** *(dans peu de temps).*
4. En règle générale l'arbre fruitier et le fruit sont désignés par le même mot, le 1er masculin, le 2e féminin. **Il ciliegio**, la ciliegia *(cerise)* ; l'albicocco, l'albicocca *(abricot)* ; il melo, la mela *(pomme)* ; il pero, la pera *(poire)* ; il pesco, la pesca *(pêche)* ; il susino, la susina *(prune).*
5. ▲ **dire di no,** dire di sì.
6. m. à m. : *se serrer dans les épaules.*
7. ▲ **lenzuolo :** pluriel irrég. en **a**.

Entre deux rangées de paillasses où de pauvres femmes enlevaient leurs gros brodequins ou allaitaient leurs enfants, il y avait un monsieur rond et rose, à monocle, des cheveux partagés par une raie impeccable, d'un roux qu'on aurait dit de teinture ou de perruque, un pantalon blanc, des chaussures à empeigne blanche avec un bout jaune perforé ; sur la manche de sa veste d'alpaga noire il avait un brassard bleu avec le sigle de l'U.N.U.C.I. C'était le major Criscuolo, un méridional, à la retraite, une relation de notre famille. « A vrai dire, dit le major, je n'ai besoin de personne. Ici, ils sont déjà tellement bien organisés. Ah ! c'est toi ? dit-il en me reconnaissant, comment va ta maman ? et le professeur ? Bon, reste là, on va voir. »

Je restai à côté de lui ; il fumait avec un fume-cigarette de merisier. Il me demanda si je voulais une cigarette ; je dis non.

« Ici, dit-il en haussant les épaules, il n'y a rien à faire. »

Autour de nous, les réfugiés étaient en train de transformer les locaux scolaires en un misérable village avec son labyrinthe de rues, déployant des draps et les accrochant à des cordes pour se déshabiller, renfonçant les clous de leurs chaussures, lavant leurs chaussettes et les mettant à sécher, tirant de leurs ballots des fleurs de courge frites et des tomates farcies, se cherchant, se comptant, perdant et retrouvant leurs affaires.

Mais la caractéristique évidente de cette humanité, le thème discontinu mais réitéré qui le premier sautait aux yeux — de la même façon que lorsqu'on entre dans une salle de réception l'œil ne voit que les seins et les épaules des dames les plus décolletées

---

8. voir note 10, p. 101.

9. gérondif du verbe **trarre (traere)**.

10. recette : blanchir les fleurs de courge, les dorer à la poêle avec une noisette de beurre. Les plonger une par une dans une pâte à crêpes épaisse et cuire chacun de ces petits beignets dans une poêle, au beurre ou à l'huile. Les Italiens emploient presque exclusivement l'huile pour la cuisine.

11. ⚠ il primo uomo Adamo, la prima donna Eva.
Mais l'ho visto per primo, è arrivato per ultimo.

12. ⚠ dans le comparatif absolu on ne répète pas l'article lorsqu'il précède immédiatement le substantif.
la gente più misera ; le lenzuola più vecchie.
Mais i profughi arrivati nella scuola erano i più miseri di tutti.

— era la presenza in mezzo a loro degli storpi, degli scemi gozzuti, delle donne barbute, delle nane, erano le labbra e i nasi deformati dai lupus, era l'inerme sguardo degli ammalati di *delirium tremens* : era questo volto buio dei paesi montanari ora obbligato a svelarsi, a sfilare in parata, il vecchio segreto delle famiglie contadine attorno a cui le case dei paesi si stringono una all'altra come le scaglie[1] d'una pigna. Ora, stanati[2] dal loro buio, ritentavano in quel burocratico biancore edilizio[3] di trovare un rifugio, un equilibrio.

In un'aula[4] i vecchi s'erano seduti tutti nei banchi[5] ; ora anche un prete era comparso e già si formava intorno un gruppetto di donne ; lui scherzava[6] incoraggiandole e anche sui loro visi si tendeva un sorriso tremulo, da[7] lepri. Ma piú questa parvenza d'aria paesana riguadagnava il loro accampamento, piú si sentivano mutilati e spersi.

— Niente da[8] dire, — diceva il maggiore Criscuolo, passeggiando avanti e indietro con un moto slanciato delle gambe che non incrinava[9] la piega dei calzoni[10] bianchi, — l'organizzazione è buona. Ognuno[11] ha il suo posto, tutto è preordinato, ora[12] dànno la minestra a tutti, una minestra saporita, l'ho assaggiata, i locali sono ampi, ben aerati, ci sono molti mezzi di trasporto, altri ne verranno, ma sí, adesso se ne vanno un po' in Toscana, ben alloggiati, ben nutriti, la guerra dura poco, vedono un po' di mondo[13], bei paesi, la Toscana, e poi tornano a casa.

La distribuzione delle minestre era l'attività attorno a cui ora convergeva tutta la vita dell'accampamento[14]. L'aria era soffice di vapore e scampanante[15] di cucchiai.

---

1. se dit aussi pour le poisson.
2. de **tana** *(tanière)* ; **rintanarsi** : *se terrer*.
3. adj. : qui se rapporte à la construction, au bâtiment.
impresa edilizia : *entreprise de construction*.
l'edilizia (substantif) : *le bâtiment. La crisi dell'edilizia*.
4. adj **aulico** : *professoral, doctoral* (voix, style).
5. le mot a plusieurs sens mais tous liés à la forme d'un meuble : *comptoir, pupître*, d'où *banque*.
▲ *le banc :* la panca, la panchina.
6. uno **scherzo** : *une plaisanterie*.
7. voir plus haut : **occhi da gufo**.
8. voir plus haut : **nulla da fare**.
9. **incrinare** : *ébrécher, fêler*.
10. syn. **pantaloni** (plur.) ; *le caleçon :* le mutande.

—, c'était la présence au milieu d'eux des estropiés, des idiots goitreux, des femmes à barbe, des naines, c'étaient les lèvres et les nez déformés par les lupus, c'était le regard désarmé des cas de delirium tremens : visage ténébreux des villages de montagne qui maintenant était obligé de se dévoiler, de s'afficher, vieux secret des familles paysannes autour duquel les maisons des villages se serrent l'une à l'autre comme les écailles d'une pomme de pin. Chassés de leur tanière obscure, ils essayaient maintenant, dans la blancheur bureaucratique de cette architecture de se recréer un refuge, un équilibre.

Dans une salle de classe, les vieux s'étaient tous assis aux pupitres des écoliers ; puis on avait vu arriver aussi un prêtre et déjà un petit groupe de femmes se formait autour de lui ; il les encourageait en plaisantant, et, à leur tour, leurs visages esquissaient un sourire tremblant, de lièvre. Mais plus leur campement retrouvait ce simulacre d'air campagnard, plus ils se sentaient mutilés et perdus.

— Rien à dire, disait le major Criscuolo, déambulant avec un mouvement élastique des jambes qui n'endommageait pas le pli de son pantalon blanc, l'organisation est bonne. Chacun a sa place, tout est prévu, maintenant ils vont donner la soupe à tout le monde, une soupe délicieuse, je l'ai goûtée, les locaux sont grands, bien aérés, il y a de nombreux véhicules, d'autres vont arriver, eh oui ! maintenant ils vont s'en aller un peu en Toscane, bien logés, bien nourris, la guerre ne sera pas longue, ils vont voir du pays, de belles régions, la Toscane, et puis ils vont rentrer chez eux.

La distribution de la soupe était l'activité autour de laquelle convergeait maintenant toute la vie du campement. L'air avait l'onctuosité de la vapeur et le son métallique des cuillers.

---

11. autres mots formés de la même façon : **qualcuno**, **ciascuno**.
12. voir note 3, p. 106.
13. **mondo** ne s'emploie que pour le territoire.
▲ *Tout le monde dit :* **tutti dicono**. *Il y avait beaucoup de monde :* **c'era molta gente.**
14. *camping :* **campeggio.**
15. de **campana :** *cloche*; **campanile :** *clocher* (en Italie presque toujours séparé de l'église) ; **campanilismo :** *esprit de clocher, chauvinisme.*

Imponenti e nervose, le supreme legislatrici della comunità, le dame della Croce Rossa, governavano un fumante calderone d'alluminio.

— Puoi andare a portare qualche piatto di minestra, — mi suggerí[1] il maggiore, — tanto per[2] far vedere che fai[3] qualcosa...

L'infermiera che manovrava il mestolo mi riempí un piatto. — Va' avanti a destra, fino a dove l'hanno avuta, e dàlla al primo.

Cosí, pieno di scetticismo, mi dedicai[4] a trasportare minestra. Nelle due siepi di gente tra le quali procedevo, preoccupato di non versare brodo e di non scottarmi[5] le dita, mi pareva che quel po' di speranza che potevo suscitare col mio piatto fosse[6] subito perso nella generale amarezza e disapprovazione[7] per il proprio stato[8], di cui io rappresentavo in qualche misura la parte responsabile. Amarezza e disapprovazione da[9] cui certo il conforto[10] d'un po' di brodo caldo non serviva a distrarli, anzi veniva — smuovendo un fondo di desideri elementari — ad acuire[11].

Rividi anche il vecchio nella cesta, addossato a un muro, in mezzo ad[12] altri bagagli, rattrappito sul suo bastone, con le pupille di gufo[13] fisse avanti. Lo sorpassai[14] senza guardarlo, quasi temendo di ricadere in sua balía[15]. Non pensavo che potesse[6] riconoscermi, in mezzo a[12] quel subbuglio ; invece sentii il bastone picchiare in terra, e lui smaniare.

Non avendo altro modo per festeggiare il nostro nuovo incontro, diedi a lui il piatto di minestra che portavo, sebbene[16] destinato ad altra persona.

---

1. v. **suggerire.** Il suggeritore : *le souffleur.*
2. ⚠ l'expression **tanto per** + infinitif.
3. prés. irrég. du v. **fare : fo (faccio), fai, fa, facciamo, fate, fanno**.
4. **dedicarsi :** *se consacrer.*
5. bruciare, ardere : *se consumer* au sens propre et figuré ; **scottare :** *provoquer une sensation de brûlure* ; cotto : *cuit.*
6. rappel : emploi du subj. après un verbe de doute.
7. **(dis)approvare :** *(dés)approuver.*
8. le poss. serait ici ambigu. *Chacun pour sa propre situation.*
9. ⚠ **distrarre da :** notion d'éloignement. Id. **fuggire da** ; **proteggere da**.

Imposantes et nerveuses les législatrices suprêmes de la communauté, les dames de la Croix-Rouge, gouvernaient un chaudron d'aluminium fumant.

— Tu peux aller porter quelques assiettes de soupe, me suggéra le major, ne serait-ce que pour faire voir que tu fais quelque chose...

L'infirmière qui manœuvrait la louche me remplit une assiette :

— Va au fond à droite, tu t'arrêtes là où ils n'ont pas été servis et tu la donnes au premier.

Plutôt sceptique, je me dévouai donc pour porter la soupe. J'avançais entre deux haies humaines, attentif à ne pas renverser de bouillon et à ne pas me brûler les doigts et j'avais l'impression que ce mince espoir que je pouvais susciter avec mon assiette se perdait aussitôt dans l'amertume générale et la rancœur de chacun pour cette situation dont je représentais d'une certaine façon la partie responsable. Amertume et rancœur dont certes le réconfort d'un peu de bouillon chaud ne parvenait pas à les distraire et que même — réveillant un fond de désirs élémentaires — il accentuait.

Je revis aussi le vieux dans sa corbeille, adossé à un mur, au milieu d'autres bagages, recroquevillé sur sa canne avec ses pupilles de hibou fixes devant lui. Je le dépassai sans le regarder comme si je craignais de retomber à sa merci. Je ne pensais pas qu'il pouvait me reconnaître au milieu de ce remue-ménage ; pourtant je l'entendis frapper le sol de sa canne et s'agiter.

N'ayant pas d'autre moyen pour fêter notre nouvelle rencontre, je lui donnai l'assiette de soupe que je portais et qui pourtant était destinée à une autre personne.

---

10. ▲ *le confort :* **le comodità** ; *une maison confortable :* una casa comoda, con tutte le comodità.
11. de la même famille : **acuto :** *aigu, pointu.*
12. ▲ **in mezzo a :** *au milieu de.*
13. l'identification au hibou est maintenant si parfaite que le pupille da gufo deviennent **pupille di gufo**.
14. dans le langage automobile : *doubler.*
15. ▲ ne pas confondre avec **la balia :** *nourrice.*
16. syn. **benché.**

Come mise mano al cucchiaio, venne avanti un gruppo di madame delle opere assistenziali, con la bustina[1] nera posata sulle ventitre[2] tra i riccioli, le nere uniformi tese con un certo brio dai seni voluminosi : una grassa occhialuta[3] e altre tre magre, dipinte[4]. Vedendo il vecchio fecero : — Ah, ecco la minestra per il nonnino ! Oh che bella minestra. Ed è buona, eh, è buona ? — Reggevano in mano certe[5] magliette da bambini che andavano distribuendo e le protendevano avanti che pareva volessero misurarle al vecchio. Alle loro spalle fecero capolino delle profughe, forse nuore o figlie del vecchio, e guardavano con diffidenza[6] lui che mangiava e quelle e me.

— Ma avanguardista ! Cosa fai ? Reggigli bene il piatto ! — esclamò la matrona occhialuta. — Sei addormentato ? — In verità, io m'ero un po' distratto.

Intervenne inaspettatamente a mia difesa una di quelle nuore o nipoti : — Ma no, che mangia da sé[7], gli lasci[8] il piatto, che le mani le ha forti e lo tiene da sé !

Le madame fasciste si interessarono : — Ah, lo tiene da sé ! Ah, bravo il nonno, come lo tiene bene ! Ecco, cosí, bravo[9] !

Io di lasciare il piatto completamente in mano sua mi fidavo[6] poco, ma lui — fosse[10] la presenza di quelle signore, fosse[10] che la minestra risvegliava in lui la nostalgia d'un bene perduto — s'era adirato[11] e mi strappò il piatto di mano, e non voleva che lo toccassi.

---

1. ainsi nommé parce qu'il a la forme d'une petite enveloppe, la busta.
2. m. à m. : *sur les 23*, c'est-à-dire en oblique comme l'aiguille d'une horloge marquant 23 h.
3. de **occhiali** : *lunettes*.
4. *peintes ;* syn. **truccate**, de **trucco** : *maquillage*.
5. **certo** a trois sens : 1. *sûr, certain* ; 2. plur. *certains* par rapport à d'autres ; 3. indéterminé : *une espèce de*.
6. **fidarsi** : *avoir confiance*. **Diffidare :** *se méfier*.
7. « **L'Italia farà da sé.** » *(l'Italie se débrouillera toute seule)* : phrase célèbre que prononça le roi de Sardaigne Charles-Albert le 23 mars 1848 en déclarant la guerre à l'Autriche pour la première guerre d'indépendance de l'Italie.
Prov. **Chi fa da sé fa per tre** : *Aide-toi le ciel t'aidera*.
8. les paysannes parlent à la 3e personne — dite de politesse. Voir note 16, p. 105. L'impératif est donc rendu par une phrase au subj. *« que madame lui laisse... ».*

Alors qu'il empoignait sa cuiller s'avança un groupe de dames des œuvres d'aide sociale, leur calot noir posé de guingois sur leurs frisettes, leur uniforme noir tendu avec une certaine exubérance par leurs seins volumineux : une grosse à lunettes et trois autres maigres, maquillées. En voyant le vieux elles firent : « Ah ! voilà la soupe pour le pépé ! Oh ! la belle soupe. Comme elle est bonne ! elle est bonne, non ? » Elles tenaient à la main des espèces de tricots pour enfants qu'elles distribuaient et qu'elles tendaient à bout de bras comme si elles voulaient les mesurer sur le vieux. Dans leur dos, des réfugiées pointèrent leur nez ; peut-être des brus ou des filles du vieux et elles regardaient avec méfiance, lui qui mangeait et les dames et moi. « Mais toi l'*avanguardista* ! Qu'est-ce que tu fais ? Tiens-lui bien son assiette ! » s'écria la matrone aux lunettes. « Tu dors ? » Pour dire la vérité j'avais eu un moment de distraction.

Inopinément je ne sais laquelle de ces brus ou nièces prit ma défense : « Mais non, il mange tout seul, laissez-lui son assiette, il a les mains solides, il la tient tout seul ! »

Ces dames fascistes furent très intéressées : « Ah ! il la tient tout seul. Ah ! très bien, pépé, comme il la tient bien ! Voilà, comme ça, très bien ! »

Moi je n'étais pas très rassuré de lui laisser l'assiette entre les mains mais lui — était-ce la présence de ces dames ? était-ce que la soupe réveillait en lui la nostalgie d'un bien perdu ? — se fâcha et m'arracha l'assiette des mains, refusant que je la touche.

---

9. **bravo** (adj.) : *habile, compétent, brave* (dans le sens de *brave homme*). Quand on crie **bravo** à un chanteur, **brava** à une chanteuse, on juge sa performance. Le mot est passé en français comme exclamation invariable.
10. même forme que le français *soit... soit* mais avec la nécessité d'accorder le verbe à l'imparfait du subj. étant donné le temps de la principale.
11. de **ira** forme ancienne de **collera, rabbia, stizza**. syn. **arrabbiato, incollerito, stizzito**.

E adesso stavamo lí tutti insieme, io e madame e nuore, a mani tese — le madame con le loro magliette e i loro pigiamini[1] — intorno al piatto che lui teneva tutto tremolante, e non voleva lasciarci prendere, e insieme mangiava e lanciava sillabe stizzite e si faceva cadere minestra addosso. E allora quelle stupide : — Oh, il nonno ora ci dà[2] il piatto, sí che è bravo a tenerlo da sé (attento !), ma ora ci dà un po' il piatto a noi che glielo teniamo. Attento ! Cade, dàllo[2] a noi, porca[3] miseria !

Tutte queste premure non facevano che aumentare l'ira del vecchio, fino al punto che piatto, cucchiaio e minestra, tutto gli cascò di mano sporcando[3] addosso e intorno. Toccò[4] pulirlo. C'era tanta gente che si dava da fare e tutti davano ordini a me. Poi bisognava portarlo al gabinetto. Io ero lí. Dovevo scappare ? Aiutai. Quando lo riponemmo nella cesta, vennero degli altri dubbi : — Ma non muove piú questo braccio, ma non apre piú quest'occhio ! Cos'ha, cos'ha ! Ci vorrebbe[5] un dottore...

— Un dottore ? Vado[6] io ! — feci, ed ero già corso[7] via. Passai dal maggiore. Fumava affacciato a un balcone e guardava un pavone[8] in un giardino.

— Signor Criscuolo, c'è un vecchio che sta[9] male, vado a cercare un medico.

— Sí, bravo, cosí esci[10] un po'. Di'[11], se vuoi tornartene anche tra mezz'ora, tre quarti d'ora, fa' pure[12], tanto qui tutto va bene...

---

1. l'italien assimile et italianise aisément les mots d'origine étrangère : **vagone, bistecca, barista, tassí**.
2. ⚠ ne pas confondre **dà** (3e pers. du sing. ou impératif du verbe **dare**) et da préposition.
3. le *porc*, devenu adj., entre dans la composition de nombreux jurons italiens. Dérivé v. **sporcare :** *salir*.
4. **toccare** trans. : *toucher*; intrans. : *falloir, incomber*. Tocca a lui : *c'est à lui, il lui revient*.
5. rappel : *il faut*, suivi d'un substantif, se traduit par ci **vuole**. Ici au conditionnel.
Le conditionnel a les mêmes irrég. que le futur : **volere, vorrò, vorrei**.
6. **andare** irrég. au présent : **vado (vo), vai, va, andiamo, andate, vanno**.
7. **correre** (intrans.) se conjugue avec l'aux. être.
8. dérivé **pavoneggiarsi** : *se pavaner*.

Et maintenant nous étions tous là, les dames, les brus et moi, mains tendues — les dames avec leurs petits tricots et leurs petits pyjamas —, autour de cette assiette qu'il tenait tout tremblant et qu'il nous défendait de toucher ; tout en mangeant il lançait des monosyllabes furibonds et renversait la soupe sur lui. Alors ces idiotes : « Oh ! maintenant le pépé va nous donner son assiette, c'est vrai qu'il sait la tenir tout seul (attention !), mais maintenant il va nous donner un peu son assiette pour qu'on la lui tienne. Attention ! ça coule, donne-la, bon sang ! »

Toutes ces prévenances ne faisaient qu'augmenter la colère du vieux jusqu'au moment où, assiette, cuiller et soupe, tout lui tomba des mains, le salissant lui et autour de lui. Il fallut le nettoyer. Il y avait des tas de gens qui s'activaient et tout le monde me donnait des ordres. Puis il fallut l'emmener aux cabinets. J'étais là. Pouvais-je me dérober ? J'aidai. Quand on le remit dans la corbeille, d'autres inquiétudes surgirent : « Mais il ne bouge plus ce bras, mais il n'ouvre plus cet œil ! Qu'est-ce qu'il a, qu'est-ce qu'il a ? Il faudrait un docteur...

— Un docteur ? J'y vais ! fis-je et j'avais déjà filé.

Je passai voir le major. Il fumait à un balcon et regardait un paon dans un jardin.

— Monsieur Criscuolo, il y a un vieux qui est malade, je vais chercher un médecin.

— Oui, très bien, comme ça tu vas prendre l'air. Dis, si tu veux ne revenir que dans une demi-heure, trois quarts d'heure, ne te gêne pas, de toute façon ici tout va bien...

---

9. **stare :** *être, se tenir* mais aussi *se porter, aller.*
Come sta Lei ? Sto bene grazie !
Quel vestito gli stava bene.
10. v. **uscire** irrég. au présent : **esco, esci, esce, usciamo, uscite, escono**.
11. l'impératif prend ses formes au présent de l'indicatif : **tieni, prendi, esci** (v. en -ere et -ire).
dà, fa, mangia, parla, fuma (v. en -are).
Dì est une exception.
12. voir note 9, p. 79.

Corsi a cercare un dottore, lo mandai alle scuole. Fuori era uno di quei verso-sera[1] estivi, quando il sole non ha piú forza ma la sabbia scotta ancora e nell'acqua fa piú caldo che nell'aria. Io pensavo al nostro distacco verso le cose della guerra, che con Ostero eravamo riusciti a portare a un'estrema finitezza di stile, fino a farcene[2] una seconda natura, una corazza. Ora la guerra mi si rivelava nel portare al gabinetto i paralitici, ecco fin dove lontano m'ero spinto[3], ecco quante mai[4] cose accadevano sulla terra, Ostero, che non supponeva la nostra tranquilla anglofilia. Andai a casa, mi tolsi la divisa, rimisi i miei panni borghesi, e ritornai dai[5] profughi.

Là mi sentii subito a mio agio[6], leggero e svelto. Ero pieno di voglia[7] di fare, mi pareva di potermi rendere utile davvero, o almeno di farmi sentire, di essere con gli altri. Certo, l'intenzione di non farmi piú vedere l'avevo avuta, di andarmene[2] alla spiaggia, sdraiarmi[8] spogliato sulla rena, pensando a tutte le cose che stavano capitando nel mondo in quel momento, mentre ero lí tranquillo e ozioso[9]. Cosí ero stato un po' a baloccarmi[10] tra cinismo e moralismo, come spesso m'accadeva, in un finto[11] dissidio, e avevo finito per darla vinta[12] al moralismo, non senza rinunciare al gusto d'un atteggiamento cinico. Desideravo solo incontrare Ostero, per dirgli : « Sai, vado a tenere allegri un po' di paralitici, un po' di bambini con le croste, tu non vieni ? »

Andai subito a presentarmi dal[5] maggiore Criscuolo. — Ah, bravo, sei tornato, hai fatto presto ! — disse. — Qui niente di nuovo.

---

1. expression très suggestive — lorsque le soir approche — mais très difficile à reproduire dans sa concision avec la même poésie.
2. on remarque que lorsque les pronoms compl. mi, ti, si, ci, vi se trouvent accouplés à un autre pronom le i se transforme en **e** : dammi- dammelo, lavati- lavateli, per andarvene, andandosene.
3. **spingere :** *pousser*; spingersi : *s'avancer, s'aventurer*; una spinta : *une poussée, une bourrade.*
4. **mai :** *jamais*, s'emploie dans le sens de *donc* dans les phrases interrogatives ou exclamatives. **Come mai !** *comment donc !* Chi mai è venuto ?
5. **da** a ici le sens de *chez, auprès de.*

Je courus chercher un médecin, je l'envoyai à l'école. A l'extérieur, c'était un de ces quasi-soirs d'été avec un soleil sans forces mais un sable encore brûlant quand il fait plus chaud dans l'eau que dehors. Je pensais à notre détachement envers les choses de la guerre qu'Ostero et moi étions parvenus à pousser jusqu'à la perfection du genre, jusqu'à nous en faire une seconde nature, une cuirasse. Maintenant la guerre se révélait à moi à travers les paralytiques que j'emmenais aux cabinets, voilà : j'en étais arrivé jusque-là, voilà, Ostero, toutes les choses qui se passaient sur la terre et que notre tranquille anglophilie ne soupçonnait pas. Je rentrai à la maison, j'enlevai mon uniforme, je remis mes habits civils et je retournai parmi les réfugiés.

Là, je me sentis aussitôt à mon aise, léger et alerte. J'étais plein d'envie de faire quelque chose, j'avais l'impression de pouvoir vraiment me rendre utile ou du moins de me faire entendre, d'être avec les autres. Certes j'avais bien eu l'intention de ne plus revenir, de filer à la plage, de m'étendre nu sur le sable en pensant à toutes les choses qui étaient en train de se produire dans le monde au moment même où j'étais là tranquille et oisif. Ainsi j'avais balancé quelque temps entre cynisme et moralisme, comme cela m'arrivait souvent, dans un faux déchirement et j'avais fini par céder au moralisme non sans renoncer au plaisir d'une attitude cynique. Je ne désirais qu'une chose, rencontrer Ostero pour lui dire : « Tu sais, je vais tenir compagnie à quelques paralytiques, à quelques enfants couverts de croûtes, tu ne viens pas ? »

J'allai aussitôt me présenter au major Criscuolo.

— Ah ! très bien, tu es revenu, tu as fait vite, dit-il. Ici, rien de nouveau.

---

6. ≠ **a disagio**. ▲ *l'âge :* l'età (fém.).
7. dérivé de **voglio** : *je veux.*
8. **sedia a sdraio** ou **sdraia** : *chaise longue.*
9. prov. **l'ozio è il padre di tutti i vizi.**
10. de **balocco** : *jouet.* Syn. **giocattolo.**
11. **finto** s'emploie aussi pour les objets artificiels : **fiori finti, capelli finti.**
12. **darla** (la partita) **vinta :** *donner la partie gagnée à l'autre ; s'avouer vaincu.* V. note 13, p. 91.

Mi richiamò mentre m'allontanavo. — Ma di', non eri in divisa, prima ?

— S'era sporcata di minestra, con quel vecchio... Ho dovuto andarmi a cambiare[1]...

— Ah, bravo.

Ora ero pronto a portare piatti, materassi, ad accompagnare gente al gabinetto. Invece incontrai un capomanipolo, quello che m'aveva assegnato a Criscuolo : — Ehi, tu, senza divisa, — mi chiamò ; per fortuna s'era già dimenticato[2] che prima ce[3] l'avevo ; — togliti di lí in mezzo[4] ; deve arrivare l'ispettore della federazione, vogliamo che veda solo gente a posto[5].

Non sapevo dove andare per togliermi di mezzo, giravo in mezzo ai profughi, e tra il timore o il fastidio[6] di ritrovarmi di fronte al[7] paralitico, e il pensiero che egli era l'unico tra tutti loro col quale avessi avuto un rapporto, sia pur rudimentale, i miei passi finirono per riportarmi là dove l'avevo lasciato. Non c'era piú. Poi vidi un cerchio di gente che guardava in basso, silenziosa. La cesta adesso era posata in terra ; il vecchio non stava piú rannicchiato ma disteso. Le donne si segnavano[8]. Era morto.

Subito ci fu il problema di dove portarlo perché veniva l'ispettore e tutto doveva essere in ordine. Fu aperta un'aula[9] di geometria e fu dato il permesso di allestirvi[10] la camera ardente. I parenti sollevarono il cesto e percorsero il corridoio. Figlie, nipoti e nuore venivano dietro, alcune in pianto. L'ultimo ero io.

---

1. lorsque deux verbes se suivent l'usage veut qu'on associe le pronom au 1er : ti verrò a prendere, vienimi a trovare.
2. **dimenticare** (v. trans.) **dimenticarsi** (v. intrans.).
3. Souvent le **ce** est explétif : non (ce) l'ho, non (ci) vedeva.
4. m. à m. : ôte-toi de là au milieu.
5. **a posto :** en place, en ordre ; cf. spostare : déplacer.
Un uomo a posto : un homme sérieux, rangé.
6. ce mot a un sens très large qui va de gêne, agacement, ennui jusqu'à dégoût.
dare fastidio, infastidire : agacer.

Il me rappela tandis que je m'éloignais.

— Mais dis donc, tu n'étais pas en uniforme tout à l'heure ?

— Il était couvert de soupe avec ce vieux... J'ai dû aller me changer...

— Ah ! très bien.

Maintenant j'étais prêt à porter des assiettes, des matelas, à accompagner tout le monde aux cabinets. Mais je rencontrai le chef de la compagnie, celui qui m'avait attribué à Criscuolo :

— Eh ! toi là-bas, sans uniforme, me héla-t-il (heureusement il avait déjà oublié qu'auparavant je l'avais), ne reste pas là au milieu ; l'inspecteur de la fédération doit arriver et nous voulons que tout soit impeccable.

Je ne savais pas où aller pour ne pas rester là au milieu, j'errais parmi les réfugiés et partagé entre la crainte ou l'embarras de me retrouver face au paralytique et la pensée qu'il était le seul avec lequel j'aie eu une relation, même rudimentaire, mes pas finirent par me ramener là où je l'avais laissé. Il n'y était plus. Puis je vis un cercle de gens silencieux qui regardaient vers le sol. Maintenant la corbeille était posée à terre ; le vieux n'était plus recroquevillé mais étendu. Les femmes se signaient. Il était mort.

Aussitôt se posa le problème de savoir où l'emporter puisque l'inspecteur allait arriver et que tout devait être en ordre. On ouvrit une salle de géométrie et on donna l'autorisation d'y installer la chapelle ardente. Les parents soulevèrent la corbeille et parcoururent le couloir. Filles, nièces et brus suivaient, certaines pleuraient. Je venais en dernier.

---

7. △ **di fronte a**, accanto a, vicino a, in mezzo a.

8. segno : *signe*. Segnare : *marquer*. **Segnarsi :** *se signer.*

9. **aula :** *salle de classe, amphithéâtre d'université, salle de tribunal.* Aulico (adj.) : *guindé, académique, rhétorique.*

10. le v. **allestire** s'emploie aussi pour un spectacle ou une exposition, dans le sens de *monter, organiser.*

Sul punto d'entrare nell'aula ci incontrammo con un gruppo di giovani gerarchi[1]. Sporsero[2] le teste con gli alti berretti dalle aquile[3] dorate e guardarono nel cesto. — Oh, — fecero. L'ispettore federale venne a fare le condoglianze ai parenti. Strinse le mani a tutti a uno a uno[4], scuotendo il capo, finché arrivò a me. Porse la mano anche a me, e disse : — Condoglianze, è vero, condoglianze.

Tornai la sera verso casa e mi pareva che fossero passati giorni e giorni. Bastava chiudessi[5] gli occhi e rivedevo le file di profughi con le mani rugose[6] attorno ai piatti della minestra. La guerra aveva quel colore e quell'odore ; era un continente grigio, formicolante[7], in cui ormai c'eravamo addentrati[8], una specie di Cina desolata, infinita come un mare. Tornare a casa ormai era come al militare una licenza, che ogni cosa che ritrova sa che è solo per poco[9] : un'illusione. Era una sera chiara, il cielo era rossiccio, io salivo una via tra case e pergole. Passavano macchine militari, verso monte[10], verso le strade d'arroccamento alla frontiera.

A un tratto ci fu un muoversi[11], un correre[11] sul marcia-piedi[12], un impigliarsi[11] di tende cacciamosche[13] alle botteghe di frutta e di barbiere, e dicevano : — Sí, sí, è lui, guarda lí, è il duce[14], è il duce.

In un'auto scoperta, vicino a certi generali, in divisa da maresciallo dell'esercito, c'era Mussolini. Andava a ispe-zionare il fronte. Si guardava intorno e poiché la gente lo fissava attonita[15], alzò la mano, sorrise, e fece segno che potevano applaudirlo. Ma la macchina correva ; era scomparso[16].

---

1. dignitaires du régime fasciste.
de **gerarchia** : *hiérarchie*.
2. p. s. irrég. de **(s)porgere**. Il suffit d'avoir pris un seul train pour savoir **E' pericoloso sporgersi** : *il est dangereux de se pencher*.
3. autre emblème fasciste de puissance et de domination.
4. ⚠ la préposition *a* est répétée deux fois.
5. **bastava** (che) **chiudessi**.
6. ▲ de ruga : *ride ; rugueux :* ruvido, scabro.
7. de **formica** : *fourmi*.
8. **addentrarsi :** andare dentro, penetrare.
9. **per poco** (tempo).
10. **a monte** : *en amont*; a **valle** : *en aval*.

Au moment d'entrer dans la salle on croisa un groupe de jeunes *gerarchi*. Ils penchèrent leurs têtes avec leurs hautes coiffures aux aigles dorés et regardèrent dans la corbeille. « Oh ! » firent-ils. L'inspecteur fédéral vint présenter ses condoléances aux parents. Il serra successivement les mains de chacun, hochant la tête, et il arriva à moi. Il me tendit la main à moi aussi et dit : « Mes condoléances, sincèrement, mes condoléances. »

Le soir, je rentrai vers la maison et j'avais l'impression que des jours et des jours s'étaient écoulés. Il suffisait que je ferme les yeux et je revoyais les rangées de réfugiés avec leurs mains ridées tenant les assiettes de soupe. La guerre avait cette couleur et cette odeur ; c'était un continent gris, grouillant, dans lequel nous avions désormais pénétré, une espèce de Chine désolée, infinie comme une mer. Rentrer à la maison, c'était maintenant un leurre : comme le militaire qui revient en permission et sait qu'il retrouvera les choses, mais pour si peu de temps. C'était un soir clair, le ciel était rougeâtre, je montais une rue entre des maisons et des pergolas. Des voitures militaires passaient, elles allaient vers la montagne, vers les rocades de la frontière.

Tout à coup il y eut un remous, des galopades sur le trottoir, des rideaux de perles enchevêtrés à la porte des marchands de fruits et des coiffeurs, des exclamations : « Si, si, c'est lui, regarde là, c'est le *duce*, c'est le *duce*. »

Dans une voiture découverte, en compagnie de quelques généraux, en uniforme de maréchal des armées, il y avait Mussolini. Il allait inspecter le front. Il regardait autour de lui et comme les gens le regardaient bouche bée, il leva la main, sourit et fit signe qu'on pouvait l'applaudir. Mais la voiture filait ; il avait disparu.

---

11. la succession des trois infinitifs employés comme substantifs rend bien la rapidité et l'agitation.
12. ▲ *marchepied :* **predella**.
13. m. à m. : *chasse-mouches*.
14. le titre dont on désignait Mussolini est tiré du latin ; toujours la fascination de Rome.
15. **attonito :** senza tono, senza voce.
16. **(scom)parire** se construit avec l'aux. être comme tous les verbes de la même famille : **parere, apparire, sparire**.

Io l'avevo appena visto. Mi colpí[1] quant'era giovane : un ragazzo, un ragazzo pareva, sano come un pesce[2], con quella collottola rapata, la pelle tesa e abbronzata, lo sguardo scintillante di gioia ansiosa : c'era[3] la guerra, la guerra fatta da lui, e lui era in macchina coi generali ; aveva una divisa nuova, passava le giornate piú attive e trafelate, traversava in corsa i paesi, riconosciuto dalla gente, in quelle sere estive. E come in un gioco, cercava solo la complicità degli altri, poca cosa, tanto che quasi s'era tentati[4] di concedergliela[5], per non guastargli la festa, tanto che quasi si sentiva una punta di rimorso, a sapersi piú adulti di lui, a non stare al gioco.

---

1. **colpire** de **colpo** : *coup.*
2. m. à m. : *sain comme un poisson.*
3. **c'era :** il y avait ; à ne pas confondre avec *c'était* : era.
4. ▲ au pluriel de l'adjectif attribut car la forme neutre *on* est perçue comme un pluriel. **Quando si è giovani si è belli.**
5. voir note 9, p. 65 et note 2, p. 116.

Je l'avais à peine vu. Je fus frappé par sa jeunesse : un gamin, on aurait dit un gamin, frais comme un gardon, avec cette épaisse nuque rasée, la peau tendue et bronzée, le regard brillant d'une joie impatiente : la guerre était là, la guerre qu'il avait décidée et il était en voiture avec les généraux ; il avait un uniforme neuf, il vivait ses journées les plus actives et les plus haletantes, il traversait comme un éclair les villages où les gens le reconnaissaient, les soirs de cet été-là. Et comme dans un jeu, il ne cherchait que la complicité des autres, si peu de chose qu'on était presque tenté de le lui accorder pour ne pas lui gâcher son plaisir, qu'on avait presque une pointe de remords à se sentir plus adulte que lui, à ne pas entrer dans le jeu.

LEONARDO SCIASCIA
(1921-1989)

Western di cose nostre[1]

Western à la sicilienne

Né à Racalmuto dans la province d'Agrigente en 1921. Cet auteur a deux grandes passions : la Sicile comme métaphore de l'Italie tout entière, voire de l'Europe, et la politique au sens le plus large du terme.

Ses premières œuvres : *Le parrocchie di Regalpetra* (1958) (Les paroisses de Regalpetra), *Gli zii di Sicilia* (1961) (Les oncles de Sicile) manifestent déjà cette impitoyable lucidité et cette voltairienne exigence intellectuelle et morale qui s'exprimera parfaitement dans la « fable policière » de son invention :
Il giorno della civetta (1962) (Le jour de la chouette), *A ciascuno il suo* (1966) (A chacun son dû), *Il contesto* (1971) (Le contexte), *Todo modo* (1974) (Todo modo), où il traque aussi bien la mafia que la démocratie chrétienne ou le parti communiste qu'il quitte en 1976 après avoir fait un bout de chemin avec lui.

Mais, de plus en plus, Sciascia abandonne les œuvres de fiction, fasciné par un événement politique : *L'affaire Moro, Actes relatifs à la mort de Raymond Roussel, La disparition de Majorana* ; une chronique lointaine : *Le Conseil d'Égypte, La mort de l'Inquisiteur* ; voire un fait divers : *La sentenza memorabile* (1982), *Cronachette* (1985), comme s'il essayait de poursuivre une impossible vérité dans les recoins du *Teatro della memoria* (1981) (Théâtre de la mémoire).

Rappelons l'adaptation cinématographique que Francesco Rosi fit en 1975 du roman *Le contexte* sous le titre *Cadavres exquis*.

Un grosso paese, quasi una città, al confine tra le province di Palermo[2] e Trapani[3]. Negli anni della prima guerra mondiale. E come se questa non bastasse, il paese ne ha una interna : non meno sanguinosa, con una frequenza di morti ammazzati pari[4] a quella dei cittadini che cadono sul fronte. Due cosche[5] di mafia sono in faida da lungo tempo. Una media di due morti al mese[6]. E ogni volta, tutto il paese sa da quale parte è venuta la lupara[7] e a chi toccherà[8] la lupara di risposta. E lo sanno anche i carabinieri. Quasi un giuoco, e con le regole di un giuoco. I giovani mafiosi che vogliono salire, i vecchi che difendono le loro posizioni. Un gregario[9] cade da una parte, un gregario cade dall'altra. I capi stanno sicuri : aspettano di venire a patti[10]. Se mai, uno dei due, il capo dei vecchi o il capo dei giovani, cadrà dopo il patto, dopo la pacificazione : nel succhio[11] dell'amicizia.

Ma ecco che ad un punto la faida si accelera, sale per i rami della gerarchia. Di solito, l'accelerazione ed ascesa[12] della faida manifesta, da parte di chi la promuove[13], una volontà di pace : ed è il momento in cui[14], dai paesi vicini, si muovono i patriarchi a intervistare[15] le due parti, a riunirle, a convincere i giovani che non possono aver tutto e i vecchi che tutto non possono tenere.

L'armistizio, il trattato. E poi, ad unificazione avvenuta, e col tacito e totale assenso degli unificati, l'eliminazione di uno dei due capi : emigrazione o giubilazione o morte.

---

1. Sciascia joue probablement sur l'expression **Cosa Nostra** *(notre chose)* qui sert à désigner la mafia d'origine sicilienne exportée aux États-Unis par les émigrants. M. à m. : *Western de nos affaires.*

2. Port sur la côte nord de l'île. Chef-lieu de la Sicile : 700 000 hab.

3. Port sur la côte ouest de l'île : 70 000 hab.
Ces deux provinces ont été et demeurent le point chaud de la mafia sicilienne.

4. **pari** a deux sens. 1. : *égal* ; 2. : *pair* ≠ **dispari** : *impair.*

5. on schématise l'organisation de la mafia en 3 degrés : à la base, la famille (parents et amis d'une même famille) ; puis la **cosca**, regroupement de familles pour la même activité ; enfin la **consorteria** union de **cosche** d'activités diverses. L'Onorata Società *(l'Honorable Société)*, nom que la mafia se donne à elle-même, serait l'ensemble de toutes les **consorterie**. Le mot **cosca** désignerait l'artichaut, la laitue ou le céleri avec leurs

Un gros bourg, presque une ville, à la frontière entre les provinces de Palerme et de Trapani. A l'époque de la Première Guerre mondiale. Et comme si cette guerre ne suffisait pas, le bourg a sa guerre intestine : tout aussi sanglante, avec une fréquence de morts par assassinat égale à celle des citoyens tombés au front. Deux *cosche* de la mafia poursuivent une lointaine vendetta. Une moyenne de deux morts par mois. Et chaque fois, tout le pays sait à quel clan appartenait la *lupara* et à qui est destinée la riposte de l'autre *lupara*. Et les carabiniers aussi le savent. Presque un jeu et avec les règles d'un jeu. Les jeunes mafieux qui veulent se pousser, les vieux qui défendent leurs positions. Un pion tombe dans un camp, un autre pion dans l'autre. Les chefs ne bronchent pas : ils attendent l'heure de la réconciliation. Le cas échéant, l'un des deux chefs, celui des vieux ou celui des jeunes, tombera après la réconciliation, après la pacification : dans le branle-bas de l'amitié retrouvée.

Mais voici que tout à coup la vendetta s'accélère, remonte les ramifications de la hiérarchie. D'ordinaire, cette accélération et cette escalade de la vendetta manifestent de la part de ceux qui la provoquent une volonté de paix : c'est le moment où les patriarches arrivent des villages voisins pour consulter les deux parties, les réunir et convaincre les jeunes qu'ils ne peuvent pas tout avoir et les vieux qu'ils ne peuvent pas tout garder. L'armistice, le traité. Puis, une fois la paix conclue et avec le tacite et plein assentiment des réconciliés, l'élimination de l'un des chefs : l'émigration, ou la retraite, ou la mort.

---

feuilles serrées les unes aux autres et, de façon imagée, les unités solidaires de la mafia.
6. ▲ una volta all'anno, tre visite al mese.
7. *fusil à canon scié*, pour la chasse au loup (lupo).
8. voir note 4 p. 114.
9. celui qui anonymement fait partie du troupeau : il gregge.
10. m. à m. : *en venir aux pactes*.
11. pour risucchio : *remous, tourbillon*.
12. p. p. irrég. employé comme substantif de **ascendere :** *monter*.
▲ ne pas confondre avec **accendere** (p. p. **acceso**) : *allumer*.
13. v. **promuovere**, dans la langue universitaire, faire passer un élève dans la classe supérieure ou le recevoir à un examen.
Sono promosso : *je suis reçu* ≠ **sono bocciato** : *je suis collé*.
14. ▲ **dove** *(où)* s'emploie exclusivement pour le lieu. Dans les autres cas **in cui** *(dans lequel)*.
15. **un'intervista** : *une interview*.

Ma stavolta non è cosí. I patriarchi[1] arrivano, i delegati delle due cosche si incontrano : ma intanto[2], contro ogni consuetudine e aspettativa, il ritmo delle esecuzioni continua ; piú concitato, anzi, e implacabile. Le due parti si accusano, di fronte ai patriarchi, reciprocamente di slealtà[3]. Il paese non capisce piú niente, di quel che sta succedendo. E anche i carabinieri. Per fortuna i patriarchi sono di mente fredda, di sereno giudizio. Riuniscono ancora una volta le due delegazioni, fanno un elenco delle vittime degli ultimi sei mesi[4] e « questo l'abbiamo ammazzato noi », « questo noi », « questo noi no » e « noi nemmeno », arrivano alla sconcertante conclusione che i due terzi sono stati fatti fuori[5] da mano estranea all'una e all'altra cosca. C'è dunque una terza cosca segreta, invisibile, dedita allo sterminio di entrambe[6] le cosche quasi ufficialmente esistenti ? O c'è un vendicatore isolato, un lupo solitario, un pazzo che si dedica allo sport di ammazzare mafiosi dell'una e dell'altra parte ? Lo smarrimento è grande. Anche tra i carabinieri : i quali, pur raccogliendo[7] i caduti con una certa soddisfazione (inchiodati[8] dalla lupara quei delinquenti[9] che mai avrebbero potuto inchiodare con prove), a quel punto, con tutto il da fare che avevano coi disertori[10], aspettavano e desideravano che la faida cittadina si spegnesse[11].

I patriarchi, impostato il problema nei giusti termini, ne fecero consegna[12] alle due cosche perché se la sbrigassero[13] a risolverlo : e se la svignarono[13], poiché ormai nessuna delle due parti, né tutte e due assieme, erano in grado di garantire la loro immunità.

---

1. sing. **il patriarca**.
2. *pendant ce temps.* Lui parla, intanto lei scrive.
3. contraire de **lealtà** ; **s** privatif.
4. △ ordre des mots différent du français.
5. **fare fuori** (pop.) : *descendre, éliminer.*
6. syn. : **tutte e due.**
7. **pure** + gérondif : *tout en...*
8. de **chiodo** *(clou)* au sens propre : *clouer.*
9. le mot a un sens plus fort qu'en français.
Associazione a delinquere : *association de malfaiteurs.*

Or cette fois, ça ne se passe pas comme ça. Les patriarches arrivent, les délégués des deux *cosche* se rencontrent : mais, cependant, contrairement à tout usage et à toute attente, les exécutions continuent à un rythme qui va même s'intensifiant, implacable. Devant les patriarches, les deux parties s'accusent réciproquement de déloyauté. Le village ne comprend plus rien à ce qui se passe. Les carabiniers non plus. Heureusement, les patriarches gardent la tête froide et leur sérénité de jugement. Ils réunissent à nouveau les deux délégations, ils font une liste des victimes des six derniers mois : « celui-ci c'est nous qui l'avons tué », « celui-ci c'est nous », « celui-ci c'est pas nous », « nous non plus » ; ils en arrivent à la conclusion troublante que les deux tiers ont été éliminés par une main étrangère à l'une et l'autre *cosca*. Y a-t-il donc une troisième *cosca* secrète, invisible, qui s'applique à exterminer les deux *cosche* pour ainsi dire officiellement existantes ? Ou y a-t-il un vengeur isolé, un loup solitaire, un fou qui se livre à ce sport qui consiste à éliminer les mafieux de l'une et l'autre partie ? L'émoi est considérable. Même parmi les carabiniers qui, au point où on en était et avec le mal qu'ils avaient déjà avec les déserteurs, se contentaient d'attendre et d'espérer que la vendetta locale s'apaise, tout en ramassant les morts avec une certaine jubilation (la *lupara* s'étant chargée de malfaiteurs qu'aucune preuve ne leur aurait permis d'épingler).

Ayant posé le problème en termes précis, les patriarches abandonnèrent aux deux *cosche*, le soin de le résoudre et ils s'éclipsèrent puisque désormais aucune des deux parties, ni isolément ni conjointement, n'était en mesure de garantir leur immunité.

---

10. la scène se passe pendant la Première Guerre mondiale.
11. **spegnere :** *éteindre.*
12. m. à m. : *ils en firent la remise, la livraison.*
13. **sbrigarsela :** *se débrouiller* ; **svignarsela :** *filer, décamper.* Cf. **cavarsela :** *s'en tirer.* Le pronom **la** indiquerait l'affaire, la situation.

I mafiosi del paese si diedero a indagare[1] ; ma la paura, il sentirsi oggetto di una imperscrutabile vendetta o di un micidiale capriccio, il trovarsi improvvisamente nella condizione in cui le persone oneste si erano sempre trovate di fronte a loro, li confondeva e intorpidiva[2]. Non trovarono di meglio che sollecitare i loro uomini politici a sollecitare i carabinieri a un'indagine seria, rigorosa, efficiente : pur nutrendo[3] il dubbio che appunto i carabinieri, non riuscendo ad estirparli con la legge, si fossero dati a quella caccia piú tenebrosa e sicura. Se il governo, ad evitare la sovrappopolazione, ogni tanto faceva spargere il colera[4], perché non pensare che i carabinieri si dedicassero ad una segreta eliminazione dei mafiosi ?

Il tiro a bersaglio dell'ignoto[5], o degli ignoti, continua. Cade anche il capo della vecchia cosca. Nel paese è un senso di liberazione e insieme di sgomento. I carabinieri non sanno dove battere la testa. I mafiosi sono atterriti. Ma subito dopo il solenne funerale del capo, cui fingendo compianto[6] il paese intero aveva partecipato, i mafiosi perdono quell'aria di smarrimento[7], di paura.

Si capisce che ormai sanno da chi[8] vengono i colpi e che i giorni di costui[9] sono contati. Un capo è un capo anche nella morte : non si sa come, il vecchio morendo era riuscito[10] a trasmettere un segno, un indizio ; e i suoi amici sono arrivati a scoprire l'identità dell'assassino.

---

1. **darsi a** + infinitif ou substantif : *se mettre à...*
Un'indagine : *une enquête.*
2. de **torpore** : *torpeur, engourdissement.*
3. voir note 7 p. 128.
4. ne pas confondre il **colera** et la **collera** *(la colère).*
5. s'emploie souvent en peinture pour désigner un peintre inconnu ou anonyme.

Les mafieux du pays commencèrent leur enquête : mais la peur, se sentir ainsi l'objet d'une obscure vengeance ou d'un caprice homicide, se trouver soudain dans la situation où les honnêtes gens s'étaient toujours trouvés en face d'eux, les troublait et les paralysait. Ils ne trouvèrent rien de mieux que d'inciter leurs hommes politiques à inciter les carabiniers à faire une enquête sérieuse, rigoureuse, efficace : tout en redoutant d'ailleurs que les carabiniers, qui n'arrivaient pas à les extirper par la loi, n'en profitent pour se livrer contre eux à cette chasse plus ténébreuse et plus infaillible. Si pour éviter la surpopulation le gouvernement faisait de temps à autre répandre le choléra, comment ne pas penser que les carabiniers se lanceraient dans l'élimination secrète des mafieux ?

Le tir à la cible de l'inconnu, ou des inconnus, continue. Le chef de la vieille *cosca* tombe lui aussi. Le pays éprouve à la fois un sentiment de soulagement et de panique. Les carabiniers ne savent plus où donner de la tête. Les mafieux sont atterrés. Mais aussitôt après les funérailles solennelles du chef, auxquelles le village entier avait participé avec tous les signes extérieurs de l'affliction, les mafieux abandonnent leur air de désarroi et de peur.

On s'aperçoit qu'ils savent désormais de qui viennent les coups et que les jours du tueur sont comptés. Un chef est un chef, même dans la mort : en mourant le vieux avait réussi, on ne sait comment, à transmettre un signe, un indice ; et ses amis ont fini par découvrir l'identité de l'assassin.

---

6. m. à m. : *auxquelles, en feignant la douleur...*
Compianto formé comme *complainte*.
7. de **smarrire** : *perdre, égarer*.
8. chi è venuto ? non so chi sia - chi rompe paga.
▲ ne pas confondre avec : **l'uomo che deve morire**.
9. *celui-ci*, mais souvent avec un sens péjoratif.
10. rappel : **riuscire** se conjugue avec l'aux. être.

Si tratta di una persona insospettabile : un professionista[1] serio, stimato ; di carattere un po' cupo[2], di vita solitaria ; ma nessuno nel paese, al di fuori dei mafiosi che ormai sapevano, l'avrebbe mai creduto capace di quella caccia lunga, spietata[3] e precisa che fino a quel momento aveva consegnato alle necroscopie tante di quelle persone che i carabinieri non riuscivano a tenere in arresto per piú di qualche ora. E i mafiosi si erano anche ricordati della ragione per cui, dopo tanti anni, l'odio di quell'uomo contro di loro era esploso[4] freddamente, con lucido calcolo e sicura esecuzione. C'entrava, manco a dirlo[5], la donna.

Fin da quando era studente, aveva amoreggiato con una ragazza di una famiglia incertamente nobile ma certamente ricca. Laureato[6], nella fermezza dell'amore che li legava, aveva fatto dei passi presso i familiari di lei per arrivare al matrimonio. Era stato respinto[7] : ché[8] era povero, e non sicuro, nella povertà da cui[9] partiva, il suo avvenire professionale. Ma la corrispondenza[10] con la ragazza continuò ; piú intenso si fece il sentimento di entrambi di fronte alle difficoltà da superare.

E allora i nobili e ricchi parenti della ragazza fecero appello alla mafia. Il capo, il vecchio e temibile[11] capo, chiamò il giovane professionista : con proverbi ed essempli[12] tentò di convincerlo a lasciar perdere ; non riuscendo con questi, passò a minacce[13] dirette. Il giovane non se ne curò[14] ; ma terribile impressione fecero alla ragazza.

---

1. *celui qui exerce une profession libérale.*
2. **cupo** est plus souvent que ses syn. (**buio, scuro, oscuro**) employé au sens figuré.
3. de **pietà** : *pitié* ; s privatif.
4. p. p. irrég. de **esplodere** : *exploser.* D'où **esplosione**.
5. m. à m. : *pas même à le dire.*
6. la **laurea** est le *diplôme* (licence par ex.) qui marque la fin des études.
7. p. p. irrég. de **(re)spingere**.
8. abréviation de **perché**.
9. syn. : **dalla quale**.

Il s'agit d'un homme insoupçonnable : profession libérale, sérieux, estimé ; un caractère un peu sombre, une vie solitaire ; mais personne dans le pays, hormis les mafieux qui maintenant savaient, ne l'aurait cru capable de cette chasse tenace, impitoyable et précise qui avait jusque-là envoyé à l'autopsie tous ceux que les carabiniers ne parvenaient pas à maintenir en garde à vue plus de quelques heures. Et les mafieux avaient aussi retrouvé la raison pour laquelle, après tant d'années, la haine de cet homme à leur endroit avait éclaté, froide, calculée et exécutée avec une lucidité infaillible. C'était, cela va sans dire, une affaire de femme.

A l'époque où il était étudiant, il avait courtisé une jeune fille d'une famille dont la noblesse était discutable mais la richesse indiscutable. Ayant obtenu ses diplômes et encouragé par un amour partagé, il avait fait des avances auprès de la famille de la jeune fille en vue d'un mariage. Il avait été repoussé car il était pauvre et cette pauvreté initiale laissait mal augurer de son avenir professionnel. Mais ses relations avec la jeune fille continuèrent, tandis que les difficultés à surmonter renforçaient leur sentiment réciproque.

Alors les nobles et riches parents de la jeune fille firent appel à la mafia. Le chef, le vieux et redoutable chef, appela le jeune homme : à l'aide de proverbes et d'exemples il essaya de le convaincre d'abandonner la partie ; n'y parvenant pas de cette façon, il passa aux menaces directes. Le jeune homme n'en fut pas impressionné, contrairement à la jeune fille.

---

10. indique aussi la correspondance épistolaire.
11. de **temere** : *craindre*.
12. forme vieillie de **esempio**.
13. sing. **minaccia** ; plur. en *e* sauf si le *i* est accentué. **La mania, le manie**.
14. **curarsi**, cf. *avoir cure*.

La quale, dal timore che la nefasta minaccia si realizzasse forse ad un certo punto passò alla pratica valutazione[1] che quell'amore era in ogni caso impossibile : e convolò a nozze con uno del suo ceto. Il giovane si incupí[2], ma non diede segni di disperazione o di rabbia. Cominciò, evidentemente, a preparare la sua vendetta.

Ora dunque i mafiosi l'avevano scoperto. Ed era condannato. Si assunse[3] l'esecuzione della condanna il figlio del vecchio capo : ne aveva il diritto per il lutto recente e per il grado del defunto padre. Furono studiate accuratamente le abitudini del condannato, la topografia della zona in cui abitava e quella della sua casa. Non si tenne[4] però conto del fatto che ormai tutto il paese aveva capito che i mafiosi sapevano : erano tornati all'abituale tracotanza, visibilmente non temevano piú l'ignoto pericolo. E l'aveva capito prima d'ogni altro il condannato.

Di notte, il giovane vendicatore uscí di casa col viatico delle ultime raccomandazioni materne. La casa del professionista non era lontana. Si mise in agguato[5] aspettando che rincasasse[6] ; o tentò di entrare nella casa per sorprenderlo nel sonno ; o bussò e lo chiamò aspettandosi che comparisse ad una data finestra[7], a un dato balcone[7]. Fatto sta che colui che doveva essere la sua vittima, lo prevenne[8], lo aggirò. La vedova del capo, la madre del giovane delegato alla vendetta, sentí uno sparo[9] : credette la vendetta consumata, aspettò il ritorno del figlio con un'ansia che dolorosamente cresceva ad ogni minuto che passava.

---

1. m. à m. : *passa à l'estimation pratique*.
2. de **cupo** : *sombre*.
3. p. s. irrég. de **assumere :** *assumer, prendre en charge* et donc *embaucher* (ouvrier ou employé).
4. p. s. irrég. de **tenere**. Voir note 2 p. 66.
5. m. à m. *aux aguets*.

Celle-ci, redoutant que cette funeste menace ne s'accomplisse, finit peut-être par estimer judicieusement que cet amour était de toute façon impossible et convola en justes noces avec quelqu'un de son milieu. Le jeune homme se rembrunit mais ne donna aucun signe de désespoir ou de fureur. Il commença apparemment à préparer sa vengeance.

Les mafieux l'avaient donc découvert. Et il était condamné. Le fils du vieux chef se chargea d'exécuter la sentence : son deuil récent et le rang de son père défunt lui conféraient ce droit. On étudia soigneusement les habitudes du condamné, la topographie du lieu et de la maison où il habitait. On oublia une seule chose : que désormais tout le pays avait compris que les mafieux savaient ; ils avaient retrouvé leur arrogance coutumière, visiblement ils ne redoutaient plus le mystérieux danger. Et le condamné l'avait compris avant tous les autres.

Le jeune vengeur sortit de chez lui, la nuit, avec pour viatique les ultimes recommandations de sa mère. La maison de l'homme n'était pas loin. S'est-il posté en embuscade en attendant qu'il rentre chez lui ? ou a-t-il essayé de pénétrer dans la maison pour le surprendre dans son sommeil ? a-t-il frappé et l'a-t-il appelé s'attendant à ce qu'il apparaisse à une certaine fenêtre, à un certain balcon ? Le fait est que celui qui devait être sa victime le devança, déjoua son plan. La veuve du chef, la mère du jeune mandataire de la vengeance entendit un coup de feu : elle crut que la vengeance était consommée, elle attendit le retour de son fils avec une impatience qui grandissait douloureusement à chaque minute qui passait.

---

6. v. **rincasare**, de casa : *maison*. Syn. : **tornare a casa**.
7. m. à m. : *à une fenêtre donnée, à un balcon donné.*
Un dato : *une donnée.*
▲ ne pas confondre avec **la data** : *la date*.
8. p. s. irrég. de **(pre)venire**.
9. **sparare :** *tirer, avec une arme.*

Ad un certo punto ebbe l'atroce rivelazione di quel che era effettivamente accaduto. Uscí di casa : e trovò il figlio morto davanti alla casa dell'uomo che quella notte, nei piani e nei voti[1], avrebbe dovuto essere ucciso[2]. Si caricò del ragazzo morto, lo portò a casa : lo dispose sul letto e poi, l'indomani, disse che su quel letto era morto, per la ferita che chi[3] sa dove e da chi[3] aveva avuto. Non una parola, ai carabinieri, su chi[3] poteva averlo ucciso. Ma gli amici capirono, seppero, piú ponderatamente preparono la vendetta.

Sul finire di un giorno d'estate, nell'ora che tutti stavano in piazza a prendere il primo fresco della sera, seduti davanti ai circoli[4], ai caffè, ai negozi (e c'era anche, davanti a una farmacia, l'uomo che una prima volta era riuscito ad eludere la condanna), un tale si diede ad avviare[5] il motore di un'automobile. Girava la manovella : e il motore rispondeva con violenti raschi[6] di ferraglia e un crepitio di colpi che somigliava a quello di una mitragliatrice. Quando il frastuono si spense[7], davanti alla farmacia, abbandonato sulla sedia, c'era, spaccato il cuore da un colpo di moschetto, il cadavere dell'uomo che era riuscito a seminare morte e paura nei ranghi di una delle piú agguerrite mafie della Sicilia[8].

---

1. *vœu* et aussi *note* dans le vocabulaire scolaire.
Ha avuto brutti voti questo mese.
2. p. p. irrég. de **uccidere**.
3. Voir note 8 p. 131.
4. Institution typiquement sicilienne : les différentes catégories sociales avaient un lieu où elles se retrouvaient pour parler, lire les journaux. S'y réunissaient les nobles, les professions libérales, les propriétaires terriens et même, plus tard, les ouvriers. Voir *Les Siciliens*, photos de Ferdinando Scianna, textes de Dominique Fernandez et Leonardo Sciascia. Denoël, 1977.

Tout à coup, elle eut l'atroce révélation de ce qui était effectivement arrivé. Elle sortit de la maison et trouva son fils mort devant la maison de l'homme qui cette nuit-là, selon les plans et les souhaits, aurait dû être tué. Elle se chargea du corps mort, l'emporta à la maison, l'étendit sur son lit et le lendemain dit qu'il était mort sur ce lit de la blessure qu'il avait reçue on ne savait où ni de qui. Pas un mot aux carabiniers sur qui pouvait l'avoir tué. Mais les amis comprirent, furent informés et préparèrent la vengeance plus posément.

Vers la fin d'un jour d'été, à l'heure où tous les gens étaient sur la place pour profiter de la première fraîcheur du soir, assis devant les cercles, les cafés, les boutiques (et devant une pharmacie il y avait aussi l'homme qui, une première fois, avait réussi à échapper à sa condamnation), quelqu'un entreprit de faire démarrer le moteur d'une automobile. Il tournait la manivelle : le moteur répondait par des toussotements de ferraille et un crépitement qui ressemblait à celui d'une mitrailleuse. Lorsque le vacarme cessa, devant la pharmacie, affaissé sur sa chaise et le cœur transpercé d'un coup de carabine, il y avait le cadavre de l'homme qui avait réussi à semer la mort et la peur dans les rangs d'une des mafias les plus aguerries de la Sicile.

---

5. *mettre sur la voie*. **Avviarsi** : *se mettre en route*.
6. **raschiare :** *racler* - Raschiarsi la gola : *toussoter pour s'éclaircir la voix.*
7. p. s. irrég. de **spegnere :** *éteindre.*
8. Nous signalons deux livres sur la mafia qui comportent une riche bibliographie et des indications de films.
Michele Pantaleone, *Mafia et politique*, Gallimard (1965) ; Georges Oms, *La Mafia hier et aujourd'hui*, Bordas (1972).

LUIGI PIRANDELLO
(1867-1936)

Tutt'e tre

Toutes les trois

Né à Agrigente en Sicile, il fait ses études universitaires à Rome puis à l'université de Bonn. De 1897 à 1922, il sera professeur à l'École normale de jeunes filles à Rome.

Sa vie et son œuvre sont marquées par des difficultés matérielles (ruine de sa famille) et morales (maladie mentale de sa femme).

Plus connu de la postérité comme dramaturge, Pirandello laisse cependant une œuvre narrative considérable qui compte 7 romans parmi lesquels *Il Fu Mattia Pascal* (1904) (Feu Mathias Pascal) et *I vecchi e i giovani* (1909) (Les vieux et les jeunes) et 242 nouvelles sous le titre général de *Novelle per un anno* (Nouvelles pour une année).

Il se consacre au théâtre à partir de 1910 mais le succès ne viendra que vers les années 20 avec *Six personnages en quête d'auteur* puis *Henri IV*, la création de *La volupté de l'honneur* par Charles Dullin en 1922, *Comme ci ou comme ça*, *Ce soir on improvise* jusqu'aux *Géants de la Montagne* que l'auteur laissera inachevée à sa mort.

Au total 43 pièces, la fondation et les tournées dans le monde entier du *Teatro d'Arte di Roma* dont Pirandello est le directeur.

Prix Nobel de littérature en 1934. Homme secret, paradoxal, il laisse une œuvre inclassable, étant donné la multiplicité de ses thèmes et de ses formes, mais foncièrement marquée par l'obsession du contraste entre les apparences et la réalité.

Ballarò venne su strabalzoni[1] dal giardino agitando in aria, invece delle mani, le maniche ; perduto com'era in un abito smesso[2] del padrone.

— Maria Santissima ! Maria Santissima !

La gente si fermava per via.

— Ballarò, che è stato ?

Non si voltava nemmeno ; scansava quanti tentavano pararglisi di fronte[3], e via di corsa verso il palazzo del Barone, seguitando[4] a ripetere quasi a ogni passo :

— Maria Santissima ! Maria Santissima !

Quella corsa in salita, alla fine, e l'enormità della notizia che recava alla signora Baronessa lo stordirono tanto che, subito com'entrò nel palazzo, ebbe un capogiro e piombò sulle natiche, tra attonito e smarrito. Trovò appena il fiato per annunziare :

— Il signor Barone... correte... gli è preso uno sturbo[5]... giù nel giardino...

All'annunzio la Baronessa, donna[6] Vittoria Vivona, restò in prima come basita. Con la bocca aperta, gli occhi sbarrati, si portò piano le grosse mani ai capelli, e si mise a grattarsi la testa. Tutt'a un tratto, balzò in piedi, quant'era lunga[7], con un tal grido che per poco non ne tremarono i muri dell'antico palazzo baronale.

Subito dopo però, si diede ad[8] agitar furiosamente quelle mani davanti alla bocca, quasi[9] volesse disperdere o ricacciare indietro il grido ; poi le protese in atto[10] di parare, accennando[11] che si chiudessero tutti gli usci ; e con voce soffocata :

---

1. de **balzo** : *bond.* Adv. d'attitude en **-oni**.
voir note 18 p. 49. Voir plus bas : **balzò in piedi ; poppe sobbalzanti.**
2. **smettere**. p. p. **smesso**. 1. *ne plus mettre* (habit) ; 2. *cesser, interrompre.* **Smettila !** *arrête !*
3. *se planter devant lui.*
4. **seguitare :** *suivre,* d'où *continuer.* **Il seguito :** *la suite ;* di seguito : *par la suite.*
5. forme dialectale de **disturbo.**
6. **donna** *(femme)* employé comme titre serait le féminin de **don** mais son équivalent français *dame* ne conviendrait pas dans ce contexte campagnard.

140

Ballarò remonta du jardin à grands bonds agitant en l'air non pas ses mains mais ses manches, perdu qu'il était dans un ancien costume de son maître.

— Très Sainte Vierge ! Très Sainte Vierge !

Les gens s'arrêtaient en chemin.

— Ballarò, qu'est-il arrivé ?

Il ne se retournait même pas, il écartait ceux qui essayaient de l'arrêter et poursuivait sa course vers le château du Baron, continuant à répéter presque à chaque pas :

— Très Sainte Vierge ! Très Sainte Vierge !

Cette montée au pas de course et l'énormité de la nouvelle qu'il apportait à madame la Baronne finirent par si bien l'étourdir qu'à peine entré dans le château la tête lui tourna et il tomba sur les fesses, aussi hagard que désemparé. Il retrouva tout juste assez de souffle pour annoncer :

— Monsieur le Baron... courez... il a eu un malaise... là-bas dans le jardin...

À cette nouvelle, la baronne *donna* Vittoria Vivona resta d'abord comme interdite. La bouche ouverte, les yeux écarquillés, elle porta lentement ses grosses mains à ses cheveux et se mit à se gratter la tête. Soudain, elle bondit sur ses pieds, déployant son grand corps, avec un tel cri que les murs de l'antique palais baronnial faillirent en être ébranlés.

Mais aussitôt après elle se mit à agiter frénétiquement ses mains devant sa bouche comme si elle voulait disperser ou ravaler son cri ; puis elle les tendit comme pour se protéger, faisant signe qu'on fermât toutes les portes ; et d'une voix étouffée :

---

7. m. à m. *autant qu'elle était grande.*
8. **darsi a**... syn. : mettersi a... prendere a...
9. rappel : **quasi,** ici = come se.
10. m. à m. : *dans le geste de...*
11. **accennare** de **cenno** : *signe, geste.*
A souvent le sens de : *montrer.*

— Per carità, per carità, non lo senta Nicolina ! Ha il bambino attaccato al petto !¹ Lo scialle... datemi lo scialle !

E sussultò tutta nel ventre, nelle enormi poppe, di nuovo cacciandosi le mani nei ruvidi² capelli color di rame :

— È morto, Ballarò ? Oh Madre santa ! Oh S. Francescuccio³ di Paola, santo mio protettore, non me lo fate⁴ morire !

Cosí dicendo, fece per cavarsi dal petto la medaglina del santo ; strappò il busto⁵, non riuscendo a sganciarlo con le dita che le ballavano ; trasse⁶ la medaglina e si mise a baciarla, a baciarla, tra i singhiozzi irrompenti e le lagrime che le grondavano⁷ dagli occhi bovini sul faccione⁸ giallastro, macchiato di grosse lentiggini⁹, finché non sopravvennero¹⁰ le serve, una delle quali le buttò addosso lo scialle.

Seguíta da quelle e preceduta da Ballarò, col fagotto delle molte sottane tirato su a mezza gamba, si lasciò andare traballando patonfia per la scala del palazzo ; e per un tratto¹¹, scordandosi di riabbassar quelle sottane, attraversò le vie della città con gli sconci polpacci delle gambe scoperti, le calze turchine di cotone grosso e le scarpe con gli elastici sfiancati¹², il busto strappato e le poppe¹³ sobbalzanti alla vista di tutti ; mentre, stringendo nel pugno la medaglina, seguitava a gemere col vocione⁸ da maschio :

— San Francescuccio di Paola, santo padruccio mio protettore, cento torce¹⁴ alla vostra chiesa ! fatemi la grazia, non me lo fate morire !

---

1. m. à m. : *accroché à la poitrine*.
2. **ruvido :** *rude, rêche*.
3. le diminutif **-uccio** a une valeur plus affective que physique. L'italien est friand de ces diminutifs.
4. le v. **fare** *(faire)* dans certaines expr. à l'impératif a le sens de *laisser* : **fammi passare** : *laisse-moi passer* ; **fallo parlare** : *laisse-le parler*.
5. *corsage, corselet, corset, gaine*.
6. p. s. irrég. de **trarre (traere)**.
7. ▲ **grondare :** *ruisseler* ; la **gronda** : *la gouttière ; gronder :* sgridare.
8. **-one,** suff. augmentatif.
9. ▲ le lentiggini sul viso. Le lenticchie (légume), la lente (optique) : lenti a contatto.

— Par pitié, par pitié, que Nicolina n'entende pas ! Elle donne le sein au petit ! Mon châle... donnez-moi mon châle !

Elle tressauta de tout son ventre, de ses énormes mamelles, fourrageant à nouveau sa tignasse couleur cuivre :

— Il est mort, Ballarò ? Oh ! Sainte Mère. Oh ! mon petit saint François de Paule, mon saint, mon protecteur, ne me le laissez pas mourir !

Tout en parlant, elle essaya de tirer de sa poitrine la petite médaille du saint ; elle déchira son corsage qu'elle ne parvenait pas à dégrafer de ses doigts tremblants, elle en sortit la médaille et la couvrit de baisers au milieu des sanglots qui la secouaient et des larmes qui ruisselaient de ses yeux bovins sur sa grosse face jaunâtre, tavelée d'énormes taches de rousseur ; jusqu'à ce qu'arrivent les servantes dont l'une d'elles lui jeta un châle sur les épaules.

Suivie de ces dernières et précédée de Ballarò, avec le paquet de ses nombreux jupons retroussés à mi-jambe, gros patapouf cahotant, elle dégringola les escaliers du château et, ayant oublié, pendant un bout de chemin, de baisser ses jupons, elle traversa les rues de la ville en montrant ses mollets indécents, ses bas bleus de gros coton et ses chaussures aux élastiques flasques, son corsage déchiré et ses mamelles brimbalantes à la vue de tous ; serrant dans son poing la petite médaille, elle continuait cependant à gémir de sa grosse voix d'homme :

— Saint François de Paule, mon petit saint, mon petit protecteur, cent cierges pour votre église ! faites-moi cette grâce, ne me le laissez pas mourir !

---

10. m. à m. *tant que n'arrivèrent pas.*
11. voir note 20 p. 49.
12. dont les flancs **(fianchi)** *sont déchirés ; efflanqué* et aussi *épuisé.*
13. **poppante** : *nourrisson* ; **poppatoio** : *biberon.*
14. **torcia :** *torche.*

Ballarò, battistrada, alleggerito ora dal peso della notizia, quasi rideva, da[4] quello scemo[1] che era, per la soddisfazione d'essere uno di casa[2], in una congiuntura come quella, che attirava la curiosità della gente. Rispondeva a tutti :

— Sturbo, sturbo. Niente. Un piccolo sturbo al signor Barꞏ ꞏe. — Dove ? Nel giardino di Filomena.

— Nel giardino di Filomena ?

E tutti si davano a correre[3] dietro alla Baronessa, senz'alcuna maraviglia che ella si recasse a vedere il marito là, nel giardino di quella Filomena, che per tanti anni era stata notoriamente « la femmina » del Barone, e dalla quale egli — ormai da[4] vecchio amico — soleva[5] passare ogni giorno due o tre ore del pomeriggio, amoroso dei fiori, dell'orto, degli alberetti di pesco e di melagrano di quel pezzo di terra regalato all'antica sua amante.

Circa dieci anni addietro[6], questo barone, Don[7] Francesco di Paola Vivona, era salito a un borgo montano, a pochi chilometri dalla città, con la scorta di tutti i suoi nobili parenti a cavallo.

Re di quel borgo era un antico massaro[8], il quale aveva avuto la fortuna di trovare nelle alture d'una sua terra sterile, scabra d'affioramenti schistosi, una delle piú ricche zolfare[9] di Sicilia, accortamente[10] fin da principio ceduta a ottime condizioni a un appaltatore belga, venuto nell'isola in cerca d'un buon investimento di capitali per conto d'una società industriale del suo paese.

---

1. v. scemare : *diminuer* d'où le sens fig. de **scemo.**
Syn. scimunito. Pour **da** voir note 4.
2. rappel : **casa** dans de nombreuses expressions s'emploie sans article : **andare a casa, essere di casa, stare in casa.**
3. voir note 8, p. 141.
4. **da :** *en tant que, en qualité de.*
Da bambino era tutto biondo, da uomo era piuttosto castano e da vecchio era bianco, bianco.
5. **solere :** v. défectif ne s'emploie pratiquement qu'au prés. (irrég.) et à l'imparfait.
6. m. à m. *environ dix ans en arrière.*
7. ce titre est l'une des traces linguistiques de trois siècles de domination espagnole en Italie, en particulier en Sicile.
8. **-aro** autre forme du suff. -aio servant à désigner un métier. Voir note 16 p. 23.

Ballarò ouvrait la marche et allégé maintenant du poids de cette nouvelle, il riait presque, grand benêt qu'il était, tant il était content de faire partie de la maison dans une circonstance semblable qui attirait la curiosité des gens. Il répondait à tout le monde :

— Un malaise, un malaise. Rien de grave. Monsieur le Baron a eu un petit malaise. Où ça ? Dans le jardin de Filomena.

— Dans le jardin de Filomena ?

Et tout le monde se mettait à courir derrière la Baronne, sans s'étonner le moins du monde qu'elle allât voir son mari là-bas, dans le jardin de cette Filomena qui pendant des années avait été, de façon notoire « l'amie » du Baron et chez laquelle — comme un vieil ami maintenant — il avait coutume de passer chaque jour deux ou trois heures de l'après-midi, amoureux des fleurs, du potager, des jeunes pêchers et grenadiers de ce lopin de terre qu'il avait offert à son ancienne maîtresse.

Environ dix ans plus tôt, ce Baron, don Francesco di Paola Vivona, était monté dans un bourg de la montagne à quelques kilomètres de la ville, escorté de tous ses nobles parents à cheval.

Le roi de ce bourg était un ancien métayer qui avait eu la chance de trouver dans les hauteurs d'une de ses terres arides, hérissée d'affleurements schisteux, l'une des plus riches soufrières de Sicile qu'il avait dès le début, et à d'excellentes conditions, cédée à un adjudicateur belge venu dans l'île en quête d'un bon placement de capitaux pour le compte d'une société industrielle de son pays.

---

9. le soufre était à cette époque l'une des richesses minières de la Sicile. L'exploitation a aujourd'hui cessé devant la concurrence du Mexique et des États-Unis.
Le père de Pirandello était propriétaire d'une soufrière qui s'effondra en 1903, entraînant la ruine de la famille. On trouvera des témoignages sur la vie des ouvriers des soufrières dans une nouvelle de Pirandello, **Ciaula** *(Nouvelles pour une année)*, Gallimard, 1978 ; dans Carlo Levi **Le parole sono pietre**, Einaudi, 1957, et dans Leonardo Sciascia **La corda pazza** *(Le cliquet de la folie)* Denoël, 1975.
10. **accorto :** *avisé, malin.* P. p. irrég. de **accorgersi :** *s'apercevoir.*

Senza un mal di capo, quel massaro aveva accumulato così, in una ventina[1] d'anni, una ricchezza sbardellata, di cui egli stesso non s'era mai saputo render conto con precisione, rimasto a vivere in campagna da[2] contadino tra le sue bestie, coi cerchietti d'oro agli orecchi e vestito d'albagio come prima. Solo che s'era edificata una casa bella grande, accanto all'antica masseria; e in quella casa s'aggirava impacciato[3] e come sperduto, la sera, quando veniva a raggiungere, dopo i lavori campestri, l'unica figliuola e una vecchia sorella più zotiche di lui e così ignare o non curanti della loro fortuna, che ancora seguitavano a vender le uova[4] delle innumerevoli galline, davanti al cancello, alle donnicciuole che si recavano poi coi panieri a rivenderle in città.

La figlia Vittoria — o Bittò[5], come il padre la chiamava, — rossa di pelo, gigantesca come la madre morta nel darla alla luce[6], fino a trent'anni non aveva mai avuto un pensiero per sè[7], tutta intesa, col padre, ai lavori della campagna, al governo della masseria, alla vendita dei raccolti ammontati nei vasti magazzini[8] polverosi, di cui teneva appese alla cintola[9] le chiavi, bruciata dal sole e sudata, sempre con qualche festuca di paglia tra i cerfugli arruffati.

Da quello stato la aveva tolta per condurla in città, baronessa, don Francesco di Paola Vivona.

Gran signore spiantato[10] e bellissimo uomo, costui, degli ultimi resti della sua fortuna s'era servito per comperarsi una magnifica coda di pavone; il prestigio, voglio dire, di una pomposa appariscenza, per cui era da tutti ammirato e rispettato e in ogni occasione chiamato all'onore di rappresentar la cittadinanza[11], che più volte lo aveva eletto sindaco.

---

1. suff. **-ina** = suff. *-aine* en français, numérotation de 10 à 90 : diecina, dozzina *(douzaine)*, quindicina, trentina, settantina, novantina. Mais : un centinaio (plur. irrég. due centinaia).
2. voir note 4 p. 144.
3. de **impaccio** : *embarras*. Même origine que le français empêcher.
4. rappel : plur. irrég. **l'uovo, le uova**.
Prov. meglio un uovo oggi che una gallina domani.
5. Il s'agit simplement de l'apocope après l'accent tonique de **Vittoria** (transformation classique du V en B). On trouvera zí

Sans une migraine, ce métayer avait ainsi accumulé en une vingtaine d'années une richesse considérable dont lui-même n'avait jamais réussi à se faire une idée précise ayant continué à vivre à la campagne, comme un paysan, au milieu de ses bêtes, avec ses anneaux d'or aux oreilles et ses vêtements de gros drap comme par le passé. Il s'était simplement construit, à côté de l'ancienne métairie, une grande et belle maison où il vaquait, emprunté et comme perdu, le soir, quand il venait y rejoindre, après les travaux des champs, sa fille unique et une vieille sœur, toutes deux plus rustaudes que lui, et tellement ignares ou insoucieuses de leur richesse qu'elles continuaient à vendre les œufs de leurs innombrables poules, devant le portail, aux pauvres femmes qui s'en allaient ensuite, avec leurs paniers, les revendre à la ville.

La fille, Vittoria — ou Bittò comme l'appelait son père —, rousse de poil, gigantesque comme sa mère morte en lui donnant le jour, n'avait jamais eu la moindre pensée pour elle-même jusqu'à l'âge de trente ans ; avec son père, elle s'était entièrement consacrée aux travaux de la campagne, à l'administration de la métairie, à la vente des récoltes amoncelées dans les vastes entrepôts poussiéreux dont les clefs étaient suspendues à sa ceinture, brûlée par le soleil, en sueur, et toujours avec quelque fétu dans sa tignasse ébouriffée.

C'est de cette condition que l'avait tirée don Francesco di Paola Vivona pour la faire baronne et l'amener en ville.

Grand seigneur décavé et très bel homme, il s'était servi des derniers restes de sa fortune pour s'acheter une magnifique queue de paon ; je veux dire par là le prestige d'un pompeux apparat qui lui valait l'admiration et le respect de tous et, en toute occasion, l'honneur d'être désigné pour représenter ses concitoyens qui à plusieurs reprises l'avaient élu maire.

---

pour **zio**, **Antó** pour **Antonio**, **Rubé** pour **Roberto**, **Marí** pour **Maria**.
6. m. à m. *la donner à la lumière.*
7. pron. **sé** quand l'action est renvoyée au sujet.
E' un egoista, pensa solo a sé.
⚠ Ne pas confondre avec se : *si.*
Se non fosse così egoista penserebbe agli altri e non solo a sé.
8. ⚠ *boutique, magasin :* **negozio**, **bottega**.
9. syn. **cintura**.
10. sens figuré de **spiantare :** *arracher, abattre.*
11. Deux sens : 1. *citoyenneté* ; 2. *ensemble des citoyens.*

Donna Bittò n'era rimasta abbagliata fin dal[1] primo vederlo. Aveva subito compreso per qual ragione fosse stata chiesta in moglie e, anziché adontarsene[2], aveva stimato piú che giusto, che una donna come lei pagasse con molti denari l'onore di diventare, anche di nome soltanto, Baronessa, e moglie d'un uomo come quello.

— Cicciuzzo è barone ! Cicciuzzo è uomo fino ! Non può dormire con me, Cicciuzzo ! — diceva alle serve che le domandavano perché, moglie, da dieci anni si acconciava[3] a dormir divisa dal marito. — Dorme come un angelo Cicciuzzo il barone ; non si sente nemmeno fiatare[4] ; io dormo invece con la bocca aperta e ronfo[5] troppo forte ; ecco perché !

Convinta com'era di non poter bastare a lui, di non aver niente in sé per attirare, non già[6] l'amore, ma neanche la considerazione di un uomo cosí bello, cosí[7] grande, cosí[7] fino, paga[8] e orgogliosa della benignità di lui, non si dava pensiero[9] dei tradimenti se non per il fatto che potevano nuocergli[10] alla salute. Che tutte le donne desiderassero l'amore di lui, le solleticava anzi[11] l'amor proprio ; era per lei quasi una soddisfazione, perché infine la moglie era lei, davanti a Dio e davanti agli uomini ; la Baronessa era lei ; lei aveva potuto comperarselo, questo onore, e le altre no. C'era poco da dire.

Una sola cosa, in quei dieci anni, la aveva amareggiata[12] : il non aver potuto dargli un figliuolo, a Cicciuzzo il barone. Ma saputo alla fine che egli era riuscito ad averlo da un'altra, da una certa Nicolina, figlia del giardiniere che aveva piantato e andava tre volte la settimana a curare i fiori nel giardino di Filomena, anche di questo s'era consolata.

---

1. **fino a** : *jusqu'à* ; **fino da :** *depuis*.
2. de **onta** : *honte*, qui aujourd'hui se dit **vergogna**.
▲ *avoir honte :* **vergognarsi**.
3. **acconciare** dans la langue contemporaine aurait plutôt le sens d'*arranger, installer*.
4. il **fiato** : *le souffle* ; **sfiatato** : *essoufflé*.
5. syn. **russare**.
6. ▲ sens particulier de già *(déjà)*.

Donna Bittò avait été éblouie au premier regard. Elle avait aussitôt compris pour quelle raison on l'avait demandée en mariage mais au lieu de s'en offenser, elle avait estimé que ce n'était que justice qu'une femme comme elle payât très cher l'honneur de devenir — ne serait-ce que de nom — Baronne et femme d'un homme comme lui.

« Cicciuzzo est un Baron ! Cicciuzzo est un homme raffiné ! Il ne peut pas dormir avec moi ! » disait-elle aux servantes quand elles lui demandaient pourquoi, étant sa femme, elle acceptait depuis dix ans de faire chambre à part. « Le Baron Cicciuzzo dort comme un ange ; on ne l'entend même pas respirer ; tandis que moi je dors la bouche ouverte et je ronfle trop fort ; voilà pourquoi ! »

Convaincue qu'elle était de ne pouvoir lui suffire, de n'avoir rien pour attirer, non seulement l'amour mais même la considération d'un homme si beau, si important, si raffiné, elle s'estimait comblée et flattée par sa bienveillance et n'avait cure de ses trahisons si ce n'est parce qu'elles risquaient de nuire à sa santé. Que toutes les femmes convoitent son amour chatouillait même son amour-propre ; elle en était presque heureuse car en fin de compte, devant Dieu et devant les hommes, l'épouse, c'était elle ; la Baronne, c'était elle ; elle seule avait pu s'acheter cet honneur, les autres pas. Il n'y avait pas à dire.

Au cours de ces dix années une seule chose l'avait affligée : ne pas avoir pu donner un fils au Baron Cicciuzzo. Mais ayant appris qu'il avait réussi à en avoir un d'une autre, une certaine Nicolina, fille du jardinier qui avait planté et allait soigner trois fois par semaine les fleurs dans le jardin de Filomena, elle avait fini par se consoler là aussi.

---

7. **cose** devant un adj. : *si, tellement* = tanto.
8. v. appagare : *apaiser* ; **pagare :** *payer* ; la paga : *la paye.*
9. ⚠ deux sens : 1. *pensée* ; 2. *souci.*
10. v. nuocere ≠ giovare.
11. **anzi** introduit une précision, parfois déterminante.
Quest'uomo è poco intelligente, anzi è uno scemo.
12. de **amaro** : *amer.*

E tanto aveva detto e fatto, che da due mesi Nicolina era col bambino nel palazzo, ed ella la serviva amorosamente, non solo per riguardo[1] di quell' angioletto ch'era tutto il ritratto di papà, ma anche per una viva tenerezza da cui subito s'era sentita prendere per quella buona figliuola timida timida e bellina, la quale certo per inesperienza s'era lasciata sedurre da quel gran birbante di Cicciuzzo il barone e dalle male arti[2] di quella puttanaccia[3] di Filomena. La voleva compensare della gioja che le aveva dato, mettendo al mondo quel bambinello tant'anni invano sospirato dal Barone. Poco le importava che gliel'avesse dato un'altra. L'importante era questo : che ormai c'era e che era figlio di Cicciuzzo il barone.

Anche la carità, intanto, quando è troppa, opprime[4] ; e Nicolina se ne sentiva oppressa[4]. Ma donna Bittò, indicandole il bimbo che le giaceva in grembo[5] :

— Babba[6], non piangere[7] ! Guarda piuttosto che hai saputo fare !

E, ridendo e battendo le mani :

— Com'è bello, amore santo mio ! com'è fino ! Figliuccio dell'anima mia, guarda come mi ride !

Gran ressa di gente era davanti la porta del giardino di Filomena. Scorgendola da lontano, la Baronessa e le serve levarono al modo del paese le disperazioni.

Il Barone era morto, e stava disteso all'aperto[8] su una materassa[9], presso un chioschetto[10] tutto parato di convolvoli. Forse la troppa luce, cosí supino[11], a pancia all'insú, lo svisava[12].

---

1. ▲ *égard* ; ne pas confondre avec **lo sguardo** : *le regard*.
2. m. à m. *par les artifices maléfiques*.
3. **puttana** + **-accia** suff. péjoratif.
4. adj. : **opprimente** ; subst. : **l'oppressione**.
5. **grembo :** *giron* ; grembiule : *tablier*.
6. terme pop. et local. En Sicile, on appelle **province babbe** les provinces de l'est de l'île où la mafia n'a pas réussi à s'implanter. Étrange niaiserie !
7. ▲ impératif négatif à la 2ᵉ pers. Emploi de l'infinitif.

Et elle avait tant dit et tant fait que depuis deux mois Nicolina et son enfant étaient au château ; elle la servait avec amour, non seulement par vénération pour ce petit ange qui était tout le portrait de son papa, mais aussi parce qu'elle avait aussitôt conçu une vive tendresse pour cette brave fille si timide et si mignonne qui, sans doute par ignorance, s'était laissé séduire par ce grand fripon de baron Cicciuzzo et par les manigances de cette garce de Filomena. Elle voulait la récompenser de la joie qu'elle lui avait donnée en mettant au monde ce petit que le Baron avait espéré en vain pendant des années. Pour elle, c'était sans importance qu'une autre le lui ait donné. L'important c'était qu'il soit là et qu'il soit le fils du baron Cicciuzzo.

Cependant, même la charité, quand elle est excessive, accable et Nicolina se sentait accablée. Mais la Baronne Bittò, en lui montrant l'enfant qu'elle tenait sur ses genoux :

— Nigaude, ne pleure pas ! Regarde plutôt ce que tu as su nous fabriquer.

Et tout en riant et en battant des mains :

— Comme il est beau, mon ange, mon amour à moi ! Comme il est délicat ! Trésor de mon cœur, regarde comme il me sourit.

Il y avait foule devant la porte du jardin de Filomena. Du plus loin qu'elles l'aperçurent, la Baronne et les servantes entonnèrent le chœur des lamentations selon la coutume du pays.

Le Baron était mort et il était étendu dehors, sur un matelas, près du petit kiosque de jardin tout enveloppé de volubilis. Peut-être était-ce la lumière trop intense qui le défigurait, ainsi couché, le ventre en l'air.

---

8. **aperto :** *ouvert.*
dormire all'aperto : *dormir à la belle étoile.*
9. La langue moderne emploie plutôt il **materasso.**
10. *kiosque à journaux :* **edicola.**
11. ≠ **bocconi.**
12. de **viso** : *visage.* **Svisare** (**s** privatif) : *défigurer.*

Pareva violaceo, e i peli biondicci dei baffi e della barba, quasi[1] gli si fossero drizzati sul viso, sembravano appicciscati e radi radi, come quelli d'una maschera carnevalesca. I globi degli occhi, induriti[2] e stravolti sotto le pàlpebre livide ; la bocca, scontorta, come in una smorfia di riso. E niente dava con piú irritante ribrezzo il senso della morte in quel corpo là disteso, quanto[3] le api e le mosche che gli volteggiavano insistenti attorno al volto e alle mani.

Filomena, prostrata con la faccia per terra, urlava il suo cordoglio e le lodi[4] del morto tra una fitta siepe d'astanti[5] muti e immobili attorno alla materassa. Solo qualcuno di tanto in tanto si chinava a cacciare una di quelle mosche dalla faccia o dalle mani del cadavere ; e una comare si voltava a far segni irosi a una bimbetta sudicia, che strappava i convolvoli del chiosco, facendone muovere e frusciare nel silenzio tutto il fogliame[6].

Da una parte e dall'altra gli astanti si scostarono[7] appena irruppe[8], spaventosa nello scompiglio della disperazione, la Baronessa. Si buttò anche lei ginocchioni davanti alla materassa di contro a Filomena, e strappandosi i capelli e stracciandosi la faccia[9] cominciò a gridare quasi cantando :

— Figlio, Cicciuzzo mio, come t'ho perduto ! Fiato mio, cuore mio, come sono venuta a trovarti ! Cicciuzzo del mio cuore, fiamma dell'anima mia, come ti sei buttato a terra cosí, tu ch'eri antenna di bandiera ? Quest'occhiuzzi[10] belli, che non li apri piú ! Queste manucce[10] belle, che non le stacchi piú ! Questa boccuccia[10] bella, che non sorride piú !

---

1. voir note 9 p. 141.
2. *durcis.*
3. △ **quanto :** 1. *Combien :* quante mosche in questa casa ! d'où dérivent les autres sens ; 2. *autant que :* Filomena urlava quanto la Baronessa ; 3. *tout ce que :* (voir plus bas) quanto le era accaduto ; △ quanto adj. s'accorde.
4. all'esame ho avuto trenta con le lodì : *à l'examen j'ai eu 30 avec les félicitations du jury.*
5. de stare : *se tenir.*
6. suff. **-ame :** *l'ensemble de.*
Cordame : *cordages* ; bestiame : *bétail* ; vasellame : *vaisselle.*
7. ≠ accostarsi.
8. p. s. irrég. de **(ir)rompere.**

Il semblait violacé et les poils vaguement blonds de ses moustaches et de sa barbe, comme s'ils s'étaient dressés sur son visage, faisaient penser à un masque de carnaval sur lequel on les aurait collés en touffes clairsemées. Les globes des yeux saillaient, révulsés sous les paupières livides ; la bouche se tordait en un rire grimaçant. Et dans ce corps étendu là, rien n'évoquait mieux, et avec plus d'énervante répulsion, le sens de la mort, que les abeilles et les mouches qui voletaient avec insistance autour de son visage et de ses mains.

Prostrée, le visage contre terre, Filomena hurlait sa douleur et les louanges du mort au milieu d'une haie compacte de spectateurs muets et immobiles autour du matelas. Seul l'un d'eux, de temps à autre, se penchait pour chasser une de ces mouches du visage ou des mains du cadavre ; et quelque commère se retournait avec des gestes de menace vers une fillette sale qui arrachait les volubilis du kiosque dont tout le feuillage se mettait à remuer et à bruire dans le silence.

Les gens s'écartèrent de part et d'autre lorsque la Baronne fit irruption, saisissante dans son désespoir effréné. Elle aussi se jeta à genoux devant le matelas, en face de Filomena et, s'arrachant les cheveux et se griffant le visage, elle commença à pousser des cris modulés comme une cantilène :

— Mon fils, mon Cicciuzzo, voilà que je t'ai perdu ! Mon souffle, mon cœur, me voilà près de toi ! Cicciuzzo de mon cœur, flamme de mon âme, comment as-tu pu t'effondrer ainsi toi qui étais une hampe de bannière ? Ces beaux petits yeux que tu n'ouvres plus ! Ces belles petites mains que tu ne tends plus ! Cette belle petite bouche qui ne sourit plus !

---

9. Ces gestes et ces cris font encore partie aujourd'hui, dans les villages du Sud de l'Italie, du rituel de la mort. (Voir le film de Rosi **Salvatore Giuliano** et un texte anonyme de lamentations funèbres in *Poésie italienne*, Seghers, 1964.) Ils étaient confiés à des pleureuses professionnelles jusque vers les années 40.

10. On retrouve ici la série des diminutifs affectueux.

E poco dopo, urlando anche lei, stracciandosi anche lei i capelli, a piè[1] di quella materassa una terza donna venne a buttarsi ginocchioni : Nicolina, col bambino in braccio.

Nessuno, conoscendo la Baronessa, le prove date in dieci anni della sua incredibile tolleranza, non solo per l'amore sviscerato[2] e la devozione al marito, ma anche per la coscienza ch'ella aveva, e dava agli altri, che fosse naturale quanto le era accaduto, data la sua rozzezza, la sua bruttezza e il suo gran cuore ; nessuno rimase offeso[3] di quello spettacolo, e tutti si commossero[4], anzi, fino alle lagrime, quand'ella si voltò a scongiurare Nicolina d'allontanarsi e, prendendole[5] il bimbo e mostrandolo al morto, gli[5] giurò che lo avrebbe tenuto[6] come suo e lo avrebbe fatto crescere[7] signore come lui, dandogli[5] tutte le sue ricchezze, come già gli[5] aveva dato tutto il suo cuore.

I parenti del Barone, accorsi poco dopo a precipizio[8], dovettero stentar[9] molto a staccare quelle tre donne, prima dal[10] cadavere e poi l'una dall'altra[10], abbracciate come s'erano per aggruppare in un nodo indissolubile la loro pena.

Dopo i funerali solennemente celebrati, la Baronessa volle che anche Filomena venisse a convivere con lei nel palazzo. Tutt'e tre insieme.

Vestite di nero, in quei grandi stanzoni bianchi, intonacati di calce, pieni di luce, ma anche di quel puzzo speciale che esala dai mobili vecchi lavati e dai mattoni rosi[11] dei pavimenti avvallati[12], esse ora si confortavano a vicenda, covando a gara[13] quel bimbo roseo e biondo, in cui[14] agli occhi di ciascuna riviveva il defunto Barone.

---

1. abréviation de **al piede**.
2. de **viscere** : *viscères*.
3. p. p. irrég. de **offendere**.
4. p. s. irrég. de **(com)muovere**.
5. on remarquera que la distinction que fait l'italien entre les pron. **gli** (masc.) et **le** (fém.) permet une concision que n'a pas le français.
6. pour la concordance du condit. voir note 3 p. 86.
7. m. à m. : *fait grandir*.
8. m. à m. : *à précipice*.

Un instant plus tard, elle aussi clamant, elle aussi s'arrachant les cheveux, une troisième femme vint se jeter à genoux au pied de ce matelas : Nicolina, avec son enfant dans ses bras.

Personne, connaissant la Baronne et les preuves que pendant dix ans elle avait données de son incroyable tolérance, par passion et vénération pour son mari mais aussi parce qu'elle était convaincue et en avait convaincu les autres que tout ce qui lui était arrivé était naturel étant donné sa rusticité, sa laideur et son grand cœur, personne donc ne s'offusqua de ce spectacle et tout le monde fut même ému aux larmes quand elle se retourna pour conjurer Nicolina de s'éloigner et qu'elle lui prit l'enfant pour le montrer au mort, lui jurant de le traiter comme le sien et de l'élever en seigneur comme son père, de lui donner toutes ses richesses comme elle lui avait déjà donné son cœur.

Les parents du Baron accourus peu après en toute hâte eurent beaucoup de mal à détacher ces trois femmes, d'abord du cadavre, puis l'une de l'autre, car elles s'étaient enlacées pour fondre leur peine en un seul nœud indissoluble.

Après les funérailles célébrées solennellement, la Baronne voulut que Filomena aussi vînt vivre avec elle au château. Toutes les trois ensemble.

Vêtues de noir, dans ces grandes salles blanchies et crépies à la chaux, pleines de lumière, mais aussi de ce relent particulier qui émane des vieux meubles lessivés et des carreaux rongés des sols affaissés, elles se réconfortaient mutuellement et rivalisaient pour couver cet enfant rose et blond dans lequel chacune d'elles voyait revivre le défunt Baron.

---

9. **stentare :** *faire de grands efforts, avoir du mal.*
A stento : *difficilement, laborieusement.*
10. ▲ **staccare da.**
11. p. p. irrég. de **rodere :** *ronger.*
▲ *rose :* rosa (adj. inv.) ou roseo.
12. de **valle :** *vallée, creux.*
13. gara : *compétition,* **a gara :** *à qui mieux mieux.*
14. syn. : **nel quale.**

A poco a poco, però, la Baronessa e Filomena cominciarono a far sentire a Nicolina, ch'essa[1], benché fosse la mamma del piccino, non poteva, per la sua età, per la sua inesperienza, esser pari a loro, sia nel dolore per la sciagura comune, sia anche nelle cure del bimbo. Per loro due la vita era ormai chiusa per sempre ; per lei invece, cosí[2] giovane e bellina, chi sa ! poteva riaprirsi, oggi o domani. Cominciarono insomma a considerarla come una loro figliuola che, in coscienza, non si dovesse insieme con loro due sacrificare e votare[3] a un lutto perpetuo.

(Forse, sotto sotto, parlava in esse, mascherata di carità, l'invidia ; per il fatto che colei era la mamma vera del piccino[4].)

Per diminuire questa superiorità che Nicolina aveva su loro incontestabile, appena svezzato[5] il bambino, quasi la esclusero da ogni cura di esso. Tutt'e due però sentivano che questa esclusione non bastava. Perché[6] il bambino restasse insieme con loro legato tutto alla memoria del morto, bisognava che Nicolina ne avesse un altro, qualche altro di suo ; bisognava insomma dar marito a Nicolina. La Baronessa avrebbe seguitato ad alloggiarla nel palazzo, in un quartierino[7] a parte ; le avrebbe assegnato[8] una buona dote, trovandole un buon giovine per marito, timorato e rispettoso, che fosse anche di presidio a lei, a Filomena e a tutta la casa.

Nicolina, interpellata, s'oppose dapprincipio recisamente ; protestò[9] che non voleva esser da meno di Filomena, lei, nel lutto del Barone, ritenendo che anzi toccasse a lei[10] di guardarlo di piú, questo lutto, per via[11] del bambino.

---

1. **esso, essa,**... ce pron. est en principe réservé aux choses et ne s'emploie pas pour les personnes.
2. Voir note 7 p. 149 mais **cosí** employé seul : *ainsi*. Non si parla cosí.
Voir aussi note 4 p. 98.
3. deux sens. 1. *vouer*; 2. *voter*.
4. syn. : *piccolo*.
5. littéral. : *déshabituer* ≠ **avvezzare** : *habituer*.
6. rappel : **perché** suivi du subj. a le sens de *pour que*.

Peu à peu cependant la Baronne et Filomena commencèrent à faire sentir à Nicolina que, bien qu'elle fût la mère du petit, elle ne pouvait pas, compte tenu de son âge et de son inexpérience, être leur égale ni dans la douleur de leur commune affliction ni dans les soins à apporter à l'enfant. Pour elles deux l'existence était définitivement close ; tandis que pour elle, si jeune et si mignonne, qui sait ? un jour ou l'autre pouvait s'ouvrir une nouvelle vie. Elles commencèrent en somme à la considérer comme leur fille et à penser qu'on ne pouvait pas en conscience la sacrifier et la vouer comme elles à un deuil perpétuel. (Bien enfouie sous le masque de la charité, peut-être était-ce l'envie qui parlait en elles ; l'envie envers Nicolina qui était la vraie mère du petit.)

Pour atténuer cette incontestable supériorité qu'avait sur elles Nicolina, dès que l'enfant fut sevré, elles lui interdirent quasiment de s'en occuper. Toutes deux sentaient pourtant que cette mise à l'écart ne suffisait pas. Pour que l'enfant restât comme elles entièrement attaché à la mémoire du mort, il fallait que Nicolina en eût un autre, un autre bien à elle ; il fallait en somme donner un mari à Nicolina. La Baronne continuerait à la loger au château, dans un petit appartement à l'écart ; elle lui donnerait une bonne dot et lui trouverait un brave garçon, honnête et respectueux qui serait un soutien pour elle, pour Filomena et pour toute la maison.

Interrogée, Nicolina refusa d'abord catégoriquement ; elle proclama qu'elle ne voulait pas le céder à Filomena dans le deuil du Baron, estimant même que c'était à elle de le respecter le plus scrupuleusement à cause de l'enfant.

---

7. **quartiere** a deux sens. 1. *quartier* ; 2. *appartement*.
8. **assegno** (cf. *assignat*) : *chèque*.
9. **protestare**. 1. *protester* ; 2. *proclamer*.
10. voir note 4 p. 114.
11. ▲ ne pas confondre **per via** : *en chemin* et **per via di**... *à cause de*.

Quelle non le dissero che proprio per questo desideravano che si maritasse ; ma si mostrarono cosí[1] fredde con lei e cosí[1] scontente del rifiuto, che alla fine, a poco a poco, la indussero a cedere.

Filomena, donna di mondo e tanto[1] saggia che finanche il Barone, sant'anima, ne aveva seguíto sempre i consigli, aveva già bell'e[2] pronto il marito : un certo don Nitto Trettarí, giovine di notajo[3], civiletto, di buona famiglia e di poche parole. Non brutto, no ! Che brutto ! Un po' magrolino... Ma via, con la buona vita, avrebbe fatto presto a rimettersi in carne[4]. Bisognava dirgli soltanto che non si facesse cucire[5] cosí stretti i calzoni perché le gambe le aveva sottili di suo e con quei calzoncini[6] parevano due stecchi[7], e che poi si levasse il vizio[8] di tener la punta della lingua attaccata al labbro superiore : del resto, giovinotto d'oro !

Passato l'anno di lutto stretto[9], si stabilirono le nozze. La Baronessa assegnò a Nicolina venticinque mila[10] lire di dote, un ricco corredo e alloggio e vitto nel palazzo ; le donò anche abiti e gioje[3].

— Pompa no, — diceva allo sposo, che si storceva tutto per ringraziare e si passava di tratto in tratto la mano su una falda del farsetto, come se qualche cane minacciasse d'addentargliela[11]. — Pompa no, caro don Nitto, perché il cuore in verità non ce la consente[12] a nessuna delle tre ; ma... (la lingua, don Nitto ! dentro, la lingua, benedetto[13] figliuolo ! avete tanto ingegno e parete uno scemo) un po' di festa, dicevo, ve la faremo, non dubitate.

---

1. voir note 7 p. 149.

2. **bell'e (bello e)** placé devant un adj. est l'équivalent du français *tout, bel et bien*. **Vestito bell'e fatto** : *tout fait, de confection*. **Lui era bell'e partito** : *il était bel et bien parti*.

3. le **j** (**i lunga**) ne se rencontre que très rarement et il a la valeur d'un i.

4. m. à m. : *se remettre en chair*.

5. **cucire** : *coudre*. **Il cucito** : *la couture ; la couturière* : **la sarta** (**il sarto**).

6. **calzoncini** : *short* ; mais ici le contexte indique qu'il s'agit de largeur et non de longueur.

7. ce sont aussi les cure-dents de bois que l'on trouve sur toutes les tables de restaurant en Italie.

Elles ne lui dirent pas que c'était précisément pour cela qu'elles voulaient la marier mais elles se montrèrent si froides envers elle et si contrariées par son refus que peu à peu elles finirent par l'obliger à céder.

Femme d'expérience, et si sage que même le cher défunt avait toujours suivi ses conseils, Filomena avait déjà le mari sous la main : un certain don Nitto Trettarì, clerc de notaire, bien élevé, de bonne famille et réservé. Laid ? Non ! on ne peut pas dire ça ! un peu maigrichon... Mais allez, avec la bonne vie il aurait vite fait de se remplumer. Il suffisait de lui dire de se faire faire des pantalons moins étroits car ses jambes étaient déjà tellement maigres qu'avec des pantalons aussi serrés elles ressemblaient à des échalas, et puis de perdre la mauvaise habitude d'avoir toujours le bout de la langue collé à la lèvre supérieure : au demeurant, un garçon en or !

L'année de strict deuil s'étant écoulée, on organisa les noces. La Baronne accorda à Nicolina vingt-cinq mille lires de dot, un riche trousseau, le gîte et le couvert au château ; elle lui donna aussi des vêtements et des bijoux.

« Pas de grande pompe », disait-elle au futur marié qui se trémoussait en signe de remerciements et qui de temps à autre passait la main sur la basque de son gilet comme si un chien menaçait de la lui arracher. « Pas de grande pompe, mon cher don Nitto ; car en vérité aucune de nous trois n'a le cœur à ça ; mais... (votre langue, don Nitto ! rentrez votre langue, mon garçon ! vous qui avez tant d'esprit vous ressemblez à un idiot)... je disais, n'ayez crainte, nous vous offrirons quand même une petite fête. »

---

8. Deux sens. 1. *vice* ; 2. (sens très atténué) *habitude, tic.*
9. *étroit* et donc *strict.*
10. ▲ **mille, due mila** (plur. irrég.).
11. de **dente** : *dent*. Rappel : **il dente** (masc.).
12. m. à m. : *car le cœur en vérité ne nous le permet pas.*
13. du sens religieux on est passé au sens simplement affectueux dans la langue courante.

Nicolina piangeva, sentendo questi discorsi, e si teneva stretto il bambino al seno, come se, sposando, dovesse abbandonarlo per sempre. Don Nitto s'angustiava[1] di quelle lagrime irrefrenabili, ma non diceva nulla, perché la Baronessa lo aveva pregato di lasciar piangere Nicolina, che ne aveva ragione. Tra breve[2], con l'ajuto di Dio[3], forse non avrebbe pianto piú ; ma ora bisognava lasciarla piangere.

Non ci fu verso[4] — venuto il giorno delle nozze — d'indurre Nicolina a levarsi l'abito di lutto : minacciò di mandare a monte[5] il matrimonio, se la costringevano a indossarne uno di colore. O con quello, o niente. Don Nitto consultò i parenti, la madre, le due sorelle, i cognati, passandosi e ripassandosi la mano sulla falda del farsetto ; specialmente le due sorelle tenevano duro, perché erano venute con gli abiti di seta sgargianti del loro matrimonio e tutti gli ori e i *« guardaspalle[6] »* di raso, a pizzo[7], con la frangia fino a terra[8]. Ma alla fine dovettero tutti sottomettersi alla volontà della sposa.

E andarono in processione, prima in chiesa, poi allo stato civile ; lo sposo, tra le due sorelle, avanti ; poi Nicolina, tra la Baronessa e Filomena, tutt'e tre in fittissime[9] gramaglie, come se andassero dietro a un mortorio ; in fine la mamma dello sposo tra i due generi.

Ma la scena piú[10] commovente avvenne nella sala del municipio.

C'erano in quella sala, appesi in fila alle pareti, i ritratti a olio[11] di tutti i sindaci[12] passati : quello di don Francesco di Paola Vivona era, si può ben supporre, al posto d'onore, proprio sopra la testa dell'assessore addetto allo stato civile.

---

1. de **angusto** : *étroit*. L'angustia s'emploie exclusivement au sens figuré de *gêne matérielle* ou d'*angoisse*.
2. **tra breve** (tempo). Adj. qu'on retrouve dans plusieurs expr. : in breve, farla breve *(abréger)*.
3. m. à m. *avec l'aide de Dieu*.
4. outre la prép. *vers* le substantif **verso** a trois sens : *vers d'une poésie, chant d'un oiseau*, ou *façon, moyen*.
Per un verso o per un altro bisognerà deciderla : *d'une façon ou d'une autre il faudra la décider*.
5. littéral. *en amont*, donc *à la source*.
expr. : **promettere mari e monti** : *monts et merveilles*.
6. littéral : *cache* ou *couvre-épaules*.

160

En entendant ces propos, Nicolina pleurait et serrait son enfant contre sa poitrine comme si, en se mariant, elle devait l'abandonner pour toujours. Don Nitto s'inquiétait de ces larmes incoercibles mais il ne disait rien car la Baronne l'avait prié de laisser pleurer Nicolina qui avait de bonnes raisons. Bientôt, si Dieu voulait, elle ne pleurerait plus ; mais pour le moment il fallait la laisser pleurer.

Le jour des noces venu, il n'y eut pas moyen de décider Nicolina à quitter sa robe de deuil : elle menaça d'envoyer promener le mariage si on l'obligeait à mettre une robe de couleur. Ou avec une robe noire ou rien. Don Nitto consulta sa famille, sa mère, ses deux sœurs, ses beaux-frères, passant et repassant sa main sur la basque de son gilet ; les deux sœurs surtout tenaient bon car elles étaient venues avec la robe de soie chamarrée de leur mariage et tous leurs ors et leur châle de satin en pointe avec les franges jusqu'à terre. Mais à la fin tout le monde dut se soumettre à la volonté de la mariée.

Et on alla en procession, d'abord à l'église puis à l'état civil ; le marié, entre ses deux sœurs, devant ; puis Nicolina entre la Baronne et Filomena, toutes trois en grand deuil comme si elles suivaient un enterrement ; enfin la mère du marié entre ses deux gendres.

Mais la scène la plus émouvante se déroula à la mairie.

Dans cette salle, accrochés au mur les uns à côté des autres, il y avait les portraits peints de tous les anciens maires : comme on peut l'imaginer, celui de don Francesco di Paola Vivona trônait à la place d'honneur juste au-dessus de la tête de l'adjoint à l'état civil.

---

7. **pizzo :** *pointe*, d'où **il pizzo** : *la barbiche, le bouc ;* sens dérivé : **il pizzo** : *la dentelle ;* prép. **a** : *en forme de.*
8. les jeunes filles se mariaient, comme ailleurs, en costume local traditionnel.
9. **fitto :** *dru, dense, épais, touffu.*
10. rappel : dans le comp. absolu on ne répète pas l'article lorsqu'il précède immédiatement le substantif ; voir note 12 p. 107.
11. m. à m. : *à l'huile.*
12. on se souvient (voir note 7 p. 102) que les mots **sdruccioli** en **co** ou **go** font leur pluriel en **ci** et **gi**.

La Baronessa fu la prima a scorgere quel ritratto, e prese a piangere prima con lo stomaco, sussultando[1]. Non potendo parlare, mentre l'assessore leggeva gli articoli del codice, urtò col gomito Nicolina, che le stava accanto. Come questa si voltò a guardarla e, seguendo gli occhi di lei[2], scorse anch'ella il ritratto, gittò un grido acutissimo e proruppe[3] in un pianto fragoroso. Allora anche la Baronessa e Filomena non poterono piú contenersi, e tutt'e tre, con le mani nei capelli, davanti all'assessore sbalordito, levarono le grida[4], come il giorno della morte.

— Figlio, Cicciuzzo nostro, che ci guarda ! fiamma dell'anima nostra, quanto eri bello ! Come facciamo, Cicciuzzo nostro, senza di te ? Angelo d'oro, vita della vita nostra !

E bisognò aspettare che quel pianto finisse per passare alla firma[5] del contratto nuziale.

---

1. m. à m. : *d'abord avec l'estomac, en tressautant.*
2. le possessif i **suoi** ne pouvait se rapporter qu'à Nicolina.
3. plusieurs v. formés sur rompere *(briser)* : irrompere, **prorompere** ont la même irrég. au p. s. ruppi, rompesti, ruppe...
4. ⚠ **il grido, le grida** (plur. irrég.).
5. ⚠ ne pas confondre avec là ditta : *firme*. Olivetti e Fiat (Fabbrica Italiana di Automobili di Torino) sono due grandi ditte italiane.

La Baronne fut la première à apercevoir ce portrait et se mit à pleurer, d'abord secouée de hoquets. Comme elle ne pouvait parler pendant que l'adjoint lisait les articles du code, elle donna un coup de coude à Nicolina qui était près d'elle. Nicolina se retourna vers la Baronne et, en suivant son regard et en découvrant à son tour le portrait, elle poussa un cri strident et éclata en bruyants sanglots. Alors ni la Baronne ni Filomena ne purent plus se contenir et toutes trois s'arrachant les cheveux, devant l'adjoint interloqué, elles entonnèrent le chœur des lamentations, comme le jour de la mort.

« Oh ! mon fils, notre Cicciuzzo qui nous regarde ! flamme de notre âme, que tu étais beau ! Comment pouvons-nous vivre, Cicciuzzo, sans toi ? Ange d'or, vie de notre vie ! »

Et il fallut attendre que cette lamentation prenne fin pour passer à la signature du contrat nuptial.

VOCABULAIRE ET EXPRESSIONS
À TRAVERS LES NOUVELLES

Voici *1 500 mots* rencontrés dans les nouvelles, suivis de leur traduction et d'un numéro de page qui renvoie au *contexte*.

Nous avons indiqué :
- par l'article masculin *il* ou l'article féminin *la* le genre du mot quand il est différent du français ;
- entre parenthèses les autres sens du mot ;
- pour les verbes irréguliers les plus courants, successivement, l'infinitif, la 1re personne du passé simple et le participe passé.

A

Abbagliare, *éblouir* **148**

Abbaiare, *aboyer* **42**

Abbastanza, *assez* **16**

Abito, *habit* **100**

Abituare, *habituer* **14**

Abitudine, *habitude* **22**

Abitudine (far(ci) l'), *s'y habituer* **20**

Accadere, *arriver, se produire* **12**

Accampamento, *campement* **108**

Accapponare la pelle (fare), *donner la chair de poule* **46**

Accendere, accesi, acceso, *allumer* **92**

Accennare, *faire signe, désigner* **140**

Accettare, *accepter* **12**

Accoccolato, *accroupi* **102**

Acconciare, *arranger, coiffer* **148**

Accorgersi, *s'apercevoir* **88**

Accorto, *avisé, malin* **144**

Accovacciarsi, *s'accroupir* **72**

Acidulo, *aigre* **98**

Acqua, *eau* **32**

Acquisire, *acquérir, acheter* **76**

Acquistare, *acquérir, acheter* **70**

Acquisto, *achat* **70**

Acuire, *aiguiser (fig.)* **110**

Acuto, *aigu* **110**

Adagio, *lentement* **44**

Addentare, *mordre (dans)* **158**

Addentrarsi, *s'engager, pénétrer* **120**

Addietro, *derrière, en arrière* **144**

Addirittura, *même, jusqu'à* **92**

Addosso, *sur le corps* **16**

Adirarsi, *se mettre en colère* **112**

Adunata, *assemblée, réunion* **96**

Aereo, *avion* **24**, *aérien* **90**

Affacciare, *montrer* **104**

Affacciarsi, *paraître à une ouverture* **62**

Affannoso, *haletant, angoissant* **104**

Affascinare, *fasciner* **78**

Affetto, *affection* **94**

Affittare, *louer (maison)* **86**

Affollare, *remplir de foule* **70**

Affresco, *fresque* **72**

Aggirare, *déjouer* **134**

Aggrumare, *coaguler* **98**

Agguato (in), *aux aguets* **134**

Agio (il), *aise* **116**

Aiutare, *aider* **100**

Aiuto, *aide* **160**

Alba, *aube* **12**

Albergo, *hôtel* **22**

Albero, *arbre* **20**

Allattare, *allaiter* **106**

Alleggerire, *alléger* **142**

Allegro, *joyeux* **18**

Allestire, *organiser, installer* **118**

Alloggio, *logement* **96**

Allontanare, *éloigner* **86**

Allontanarsi, *s'éloigner* **118**

Almeno, *au moins, du moins* **16**

Altezzoso, *hautain* **20**

Altrimenti, *autrement* **74**

Alzare, *lever, soulever* **64**

Alzarsi, *se lever* **58**

Amareggiare, *remplir d'amertume* **148**

Amarezza, *amertume* **110**

Ambiente, *cadre, milieu* **70**

Amico(a), *ami(e)* **12**

Ammalato, *malade* **100**

Ammazzare, *tuer* **50**

Ammirare, *admirer* **74**

Anche, *aussi* **14**

Andare, *aller* **114**

Angelo, *ange* **148**

Angolo, *angle* **24**

Anima, *âme* **16**

Annaffiare (innaffiare), *arroser* **36**

Antico, *ancien* **144**

Antiquario, *antiquaire* **72**

Anzi, *au contraire* **16**, *plutôt* **148**

Anzianità, *ancienneté* **30**

Anziano, *âgé* **30**

Ape, *abeille* **152**

Apparecchio, *appareil, avion* **90**

Appiccicare, *coller* **152**

Appoggiare, *appuyer* **102**

Apposta, *exprès* **52**

Approdare, *aborder* **100**

Approfittare, *profiter* **12**

Appunto, *précisément* **12**

Aperto, *ouvert, dégagé* **92-102**

Aperto (all'), *en plein air* **150**

Aprire, *ouvrir* **42**

Aquila (la), *aigle* **120**

Arancia, *orange* **44**

Arancio, *oranger* **50** *(orange)*

Armadio (il), *armoire* **62**

Arrampicarsi, *se hisser, grimper* **64**

Arricciare, *froncer* **20**

Arrischiare, *risquer* **48**

Arruffare, *ébouriffer* **146**

Ascendere, *monter* **126**

Asciugamano, *essuie-mains, serviette* **36**

Ascoltare, *écouter* **76**

Aspettare, *attendre* **12**

Assai, *beaucoup, très* **72**

Assaporare, *goûter, savourer* **14**

Assegnare, *attribuer* **118**

Assenso, *consentement* **126**

Assicurare, *assurer* **14**

Assieme, *ensemble* **28**

Assumere, *assumer,* **134** *(embaucher)*

Asta, *enchères* **72** *(piquet)*

Atteggiamento, *attitude* **74**

Atteggiare, *prendre un air* **58**

Attenti (sull'), *au garde à vous* **62**

Attento, *attention !* **114** *(attentif)*

Attillato, *ajusté, moulant* **28**

Attività, *activité* **108**

Atto (in atto di), *en train de, sur le point de* **140**

Attonito, *sans voix* **120**

Attorno, *autour* **100**

Attraverso, *à travers* **102**

Attrazione, *attirance* **12** *(attraction)*

Aula, *salle de classe, amphithéâtre* **108**

Aulico, *docte, pédant* **108**

Aumentare, *augmenter* **114**

Avanti, *devant, en avant* **44**

Avere, ebbi, avuto, *avoir* **12**

Avvenire, *se produire* **28**, *avenir* **132**

Avviare, *mettre en marche* **136**

Avvicinar(si), *(s')approcher* **60**

Azzurro, *bleu clair, azur* **106**

B

Baccano, *tapage* **42**

Baciare, *donner un baiser* **88**

Bacio, *baiser* **20**

Badessa, *matrone* **100** *(abbesse)*

Badia, *abbaye* **100**

Baffi, *moustaches* **152**

Bagaglio, *bagage* **110**

Bagno, *salle de bains* **16**, *bain, plage* **86**

Balbettare, *balbutier* **102**

Balbettio, *balbutiement* **104**

Balia (in), *à la merci* **110**

Balocca(si), *jouer* **116**

Balocco, *jouet* **116**

Balzare, *bondir* **140**

Bambino, *enfant* **16**

Banco, *pupitre* **108** *(comptoir, banque)*

Barbiere, *coiffeur pour hommes* **120**

Barella, *civière* **100**

Bastare, *suffire* **16**

Bastonare, *frapper avec un bâton* **104**

Bastone, *canne* **102** *(bâton)*

Battere, *frapper* **104** *(la testa), donner de la tête* **130**

Battuta (di spirito), *trait d'esprit* **32**

Bello, *beau* **52**

Bell' e pronto, *tout prêt* **158**

Bere (bevere), *boire* **66**

Berretto, *bonnet, casquette* **42**

Bersaglio (il), *cible* **92**

Biascicare, *marmonner* **50**

Bimbo, *enfant* **58**

Birbante, *fripon* **150**

Bisaccia, *besace* **52**

Biscotto, *biscuit* **32**

Bisognare, *falloir* **32**

Bisogno, *besoin* **46-58**

Bisticciar(si), *(se) quereller* **78**

Bocca, *bouche* **16**

Boccone (il), *bouchée* **50**

Bollente, *bouillant* **92**

Bonario, *débonnaire* **18**

Borghese (in), **88** *en civil (bourgeois)*

Bosco, *bois, forêt* **62**

Bottega, *boutique* **120**

Bottiglia, *bouteille* **52**

Braccio *bras* **76**, (in) *dans les bras* **100**

Bravo, *compétent* , **112** *(brave)*

Breve, *bref* **16** tra breve, *bientôt* **160**

Brindare, *trinquer* **58**

Brindisi (fare un), *porter un toast* **58**

Brodo, *bouillon* **110**

Bruciapelo (a), *à brûle-pourpoint* **46**

Bruciare, *brûler* **92**

Bruttezza, *laideur* **154**

Brutto, *laid, méchant* **60**

Bucare, *trouer* **60**

Bucato, *lessive* **60**

Buco, *trou* **60**

Buio, *obscur, obscurité* **44**

Buono, *bon* **18**

Bussare, *frapper à la porte* **36**

Bustina, *calot* **112** (busta : *enveloppe*)

Busto, *corsage* **142** *(buste, corset)*

Buttare, *jeter* **48**

Buttarsi, *se lancer* **152**

C

Caccia, *chasse* **58**

Cacciare, *chasser* **152**

Cacciatore, *chasseur* **94**

Cadere, *tomber* **58**

Cafone, *cul-terreux* **18**

Calare, *descendre, abaisser* **58**

Calcare, *enfoncer* **102** *(piétiner)*

Calce, *chaux* **154**

Calcio, *football* **34** *(coup de pied)*

Calderone, *chaudron* **110**

Caldo, *chaud* **116**

Calza, *bas* **28** *(chaussette)*

Calzoncini, *short* **158**

Calzoni, *pantalons* **158**

Cambiare, *changer* **18**

Camicia, *chemise* **76**

Camminare, *marcher* **44**

Campana, *cloche* **108**

Cancelliere, *greffier* **50** *(chancelier)*

Cancello, *portail* **146**

Cagna, *chienne* **44**

Cane, *chien* **20**

Canonico, *chanoine* **42**

Canottiera, *maillot de corps* **34**

Capace, *capable* **132**

Capanna, *cabane* **44**

Capelli, *cheveux* **154**

Capezzale, *chevet* **42** *(traversin)*

Capire, *comprendre* **18**

Capitare, *survenir* **92**

Capo, *tête, chef* **100**

Capodanno, *jour de l'an* **58**

Capogiro, *étourdissement* **140**

Capolavoro, *chef-d'œuvre* **70**

Capolino (fare), *montrer le bout du nez* **64**

Cappuccino, *capucin,* **36** *café crème*

Cappuccio, *capuchon* **36**

Capra, *chèvre* **98**

Caricare, *charger* **136**

Carità, *charité* **150**

Carne, *chair* **158** *(viande)*

Carponi, *à quatre pattes* **48**

Carro, *char* **98**

Cascare, *tomber* **114**

Casino, *bordel* **90**

Casinò, *casino* **90**

Caso, *cas* **12-16**, *événement* **54** *(hasard)*

Cassettone, *commode (meuble)* **62**

Castigo, *châtiment* **12**

Catena, *chaîne* **54**

Cattivo, *mauvais, méchant* **64**

Cauto, *prudent, méfiant* **64**

Cavallo, *cheval* **58**

Cavare, *tirer, arracher* **62**

Cavolo, *chou* **54**

Cece, *pois chiche* **32**

Cena (la), *dîner, cenare, dîner* **28**

Cencio, *chiffon* **98**

Cenere, *cendre* **58**

Cerchio, *cercle* **100**

Certamente, *certainement* **132**

Certo, *sûr, certain* **112**

Cervello, *cerveau* **22**

Cesta, *corbeille* **102**

Ceto (il), *classe sociale* **134**

Che, *que* **12**, *qui* **28**

Chi, *qui, celui qui* **22-130**

Chiamare, *appeler* **36-96**

Chiaramente, *clairement* **12**

Chiaro, *clair* **48**

Chiave, *clef* **52**

Chiazza, *tache* **72**

Chiedere, chiesi, chiesto, *demander* **42**

Chiesa, *église* **160**

Chissà, *qui sait* **20**

Chiudere, chiusi, chiuso, *fermer* **48**

Ci, *nous* **14**, *y,* **12**.

Ciascuno, *chacun* **154**

Cigolio, *grincement* **20**

Ciliegio, *merisier* **106** *(cerisier)*

Cinghiale, *sanglier* **96**

Cinque, *cinq* **100**

Cintola, *ceinture* **146**

Ciò, *cela* **12**

Cioè, *c'est-à-dire* **14**

Circolo, *cercle, club* **136**

Città, *ville* **16**

Cittadino, *citoyen* **146** *(citadin)*

Civetta, *coquette* **76** *(chouette)*

Clima, *climat* **94**

Cognato(a), *beau-frère, belle-sœur* **160**

Coincidenza, *coincidence* **14** *(correspondance)*

Coinvolgere, coinvolsi, coinvolto, *entraîner, impliquer* **98**

Colera, *choléra* **130**

Collera, *colère* **130**

Collo, *cou, col* **86**

Collottola, *nuque* **122**

Colmo, *comble* **102**

Colpo, *coup,* (v. colpire) **122**

Colto, *cultivé* **18**

Cominciare, *commencer* **16**

Commovente, *émouvant* **160**

Commuovere, commossi, commosso, *émouvoir* **154**

Comp(e)rare, *acheter* **70**

Con, *avec* **44**

Concitato, *excité* **100**

Condoglianze, **120** *condoléances*

Confessare, *confesser, avouer* **16**

Confine (il), *frontière* **90**

Confortevole, *confortable* **16** *(réconfortant)*

Conforto, *réconfort* **110**

Congratularsi (con uno), *féliciter quelqu'un* **62**

Coniugi, *conjoints, époux* **76**

Consegnare, *remettre* **44**

Consiglio, *conseil* **70**

Conta, *dénombrement* **100**

Contadino, *paysan* **50**

Continuare, *continuer* **16**

Contraddire, *contredire* **70**

Convincere, convinsi, convinto, *convaincre* **72**

Convolvolo, *volubilis* **150**

Coperto, *couvert* (v. coprire) **38**

Coraggio, *courage* **70**

Corazza, *cuirasse* **116**

Cornice (la), *cadre* **72**

Corona, *chapelet* **42** *(couronne)*

Corredo, *trousseau* **158**

Corrente (la), *courant* **92**

Correre, corsi, corso, *courir* **104-114**

Corridoio, *corridor, couloir* **100**

Corriera, *autocar* **98**

Corsa, *course* **140**

Cortile (il), *cour* **48**

Cosa, *chose* **12**

Così, *ainsi* **18**, *si, tellement* **156**, *aussi* **98**

Così da, *de manière à* **16**

Cospargere, cosparsi, cosparso, *parsemer* **100**

Costare, *coûter* **52**

Costui, *celui-là* **130**

Credere, *croire* **12**

Crepare, *crever* **62**

Crescere, *croître* **154**

Crocifisso, *crucifix* **42**

Crosta, *croûte* **72**

Cucchiaio (il), *cuiller* **74**

Cucina, *cuisine* **42**, *cuisinière* *(app.)* **36**

Cupo, *sombre* **132**

Curare, *soigner* **148**

Curarsi, *se préoccuper* **132**

Custode, *gardien* **48**

D

Da, *de,* (origine) **16-46**, *de* (valeur) **92**, *par* **12**, *en, comme* **62**, *à* (détail) **80**, *à* (fonction) **72**, *à* (nécessité) **90**, *Chez* **116**, *en qualité de* **144**

Dà, *il donne*

173

Fulmine, *foudre* **58**

Funerale (il), *funérailles* **130**

Fuoco, *feu* **98**

Fuori, *dehors* **48**, *hors* **60**, al di fuori, *au-dehors* **132**

Fra, *entre* **46**

Franare, *s'ébouler* **96**

Francese, *français* **18**

Franchezza, *franchise* **36**

Frastuono, *fracas* **136**

Fratellanza, *fraternité* **58**

Fratello, *frère* **88**

Freddo, *froid* **60**

Freno, *frein* **16**

Fretta, *hâte* **52**

Fronte (il), *front (guerre)* **86**

Fronte (la), *front* **100**, di fronte a : *en face de* **118**

Fruscio, *bruissement* **44**

Frutta, *fruit* **52** *(dessert)*

Frutteto, *verger* **44**

Funzionario, *fonctionnaire* **100**

G

Gabinetto, *cabinet* **114**

Galleggiare, *flotter* **88**

Gallina, *poule* **146**

Gamba, *jambe* **102**

Gara, *compétition,* a gara : *à qui mieux mieux* **154**

Garbo, *politesse* **64**

Gelato (il), *crème glacée* **38**

Gelosia, *jalousie* **76**

Geloso, *jaloux* **76**

Gemelli(e), *jumeaux (elles)* **16**

Genero, *gendre* **160**

Genitore, *parent (père et mère)* **94**

Gente (la), *gens* **14**

Gesto, *geste* **94**

Ghiaccio (il), *glace* **28-38**

Già, *déjà* **58**, *autrefois* **80**, *seulement* **148**

Giacca, *veste* **106**

Giacere, *gésir* **150**

Giardiniere, *jardinier* **148**

Giardino, *jardin* **144**

Ginnasio, *collège* **18**

Ginocchio, *genou* **64**

Ginocchioni, *à genoux* **152**

Giocare, *jouer* **58**

Gioco, *jeu* **92**, prendersi gioco : *se moquer* **72**

Giuoco, *jeu* **126**

Gioia, *joie* **122**, *bijou* **158**

Giornale, *journal* **96**

Giorno, *jour* **12**

Giovane, *jeune,* giovanotto : *jeune homme* **34**

Giovine, giovinotto, *jeune homme* **158**

Girare, *tourner,* giro, *tour* **98**, errer **118**, nel giro di, *en l'espace de* **28**

Giù, *en bas* **92**

Giudicare, *juger* **76**

Giudice, *juge* **46**

Giungere, giunsi, giunto, *arriver* **76**

Giustizia, *justice* **46**

Giusto, *juste* **18**

Goccia, *goutte* **20**

Gomito, *coude* **162**

Gonna, *jupe* **100**

Gozzo, *goitre* **108**

Gradinata, *escalier* **100**

Gradino (il), *marche d'escalier* **100**

Grado, *rang* **134**, in grado di : *en mesure de* **128**

Grembo, *giron* **150**

Gremito, *plein, bondé* **36**

Gridare, *crier* **152**

Mattino, *matin* **86**

Mattone, *pavé* **154** *(brique)*

Mazzo, *jeu de cartes* **60** *(bouquet)*

Media, *moyenne* **126**

Medico, *médecin* **50**

Meglio, *mieux* **46,** alla meglio : *à la va vite* **52,** di meglio : *mieux* **130**

Mela, *pomme* **32**

Melagrano, *grenadier (arbre)* **144**

Meno, *moins* **28,** meno di : *moins que* **18,** essere da meno : *être inférieur* **156**

Mente, *esprit* **16**

Mentre, *tandis que* **44**

Meraviglia, *étonnement* **60** *(merveille)*

Meravigliosamente, *merveilleusement* **12**

Mese, *mois* **12**

Mestolo, *louche* **110**

Metà, *moitié* **102**

Mettere, misi, messo, *mettre* **44**

Messo, *messager* **52**

Mezzo, *moitié* **86,** in mezzo a, *au milieu de* **18,** *moyen* **108**

Micidiale, *meurtrier* **130**

Migliore, *meilleur* **70**

Mille, *mille* **158** *(pl.* mila *)*

Minaccia, *menace* **132**

Minestra, *soupe* **108**

Minore, *mineur, moindre* **28**

Misura, *mesure* **110**

Mobile, *meuble* **18**

Modo, *façon, manière* **90,** in modo da, *de manière à* **86**

Moglie, *épouse* **74**

Molto, *beaucoup* **30**

Morire, *mourir* **62**

Mosca, *mouche* **152**

Moschetto, *carabine* **136**

Moscone, *pédalo* **86** *(bourdon)*

Motore, *moteur* **136**

Motorino, *vélomoteur* **34**

Mucchio, *tas* **48**

Muffa, *moisissure* **18**

Municipio, *mairie* **160**

Muovere, *bouger* **152**

Muoversi, *se déplacer* **16-90,** *se dépêcher* **104**

Mutare, *changer* **76**

Muto, *muet* **60**

N

Nano(a), *nain(e)* **108**

Nascondere, nascosi, nascosto, *cacher* **52**

Naso, *nez* **20**

Natiche, *fesses* **140**

Navata, *nef* **100**

Nave (la), *navire* **58**

Ne, *en* **50**

Nè, *ni* **80**

Neanche, *pas même, non plus* **102**

Nebbia, *brouillard* **58**

Negozio, *magasin* **136**

Nemmeno, *pas même* **60**

Nervo, *nerf* **20**

Nessuno, *personne* **14**

Neve, *neige* **58**

Nevicare, *neiger* **58**

Nipote, *neveu* **60** *(petit-fils)*

Nipotino, *petit-fils* **60**

Noce, *noyer* **46** *(noix)*

Nodo, *nœud* **154**

Nodoso, *noueux* **102**

Noia (la), *ennui* **60**

Noncurante, *insouciant* **82**

Nondimeno, *néanmoins* **50**

182

Scomparire, scomparvi, scomparso, *disparaître* **32**

Sconcio, *vulgaire* **142**

Scongiurare, *conjurer* **154**

Sconosciuto, *inconnu* **78**

Scontento, *mécontent* **158**

Scontorto, *tordu* **152**

Sconvolgere, sconvolsi, sconvolto, *bouleverser* **28**

Scoprire, *découvrir* **130**

Scordare, *oublier* **142**

Scorgere, scorsi, scorto, *apercevoir* **150**

Scostar(si), *(s')écarter* **152**

Scottare, *provoquer une brûlure* **110**

Scriminatura, *raie* **106**

Scrivere, scrissi, scritto, *écrire* **18**

Scuola, *école* **14**

Scuro, *sombre* **42**

Scusare, *excuser* **18**

Sdegno, *dédain* **20**

Sdegnoso, *dédaigneux* **20**

Sdraiarsi, *s'étendre* **116**

Se, *si* **16**

Sè, *soi* **146**, da sè : *tout seul* **112**

Sebbene, *bien que* **110**

Secolo, *siècle* **58**

Secondo, *selon* **90** *(second, seconde)*

Sedurre, sedussi, sedotto, *séduire* **150**

Segnale, *signal* **92**

Segnare, *marquer* **118**

Segnarsi, *se signer* **118**

Segno, *signe* **130**

Segretario, *secrétaire* **28**

Segreto, *secret* **108**

Seguire, *suivre* **162**

Seguitare, *continuer* **140**

Seguito, *suite* **102**

Sei, *six* **100,** *tu es* **14**

Selvaggio, *sauvage* **12**

Sembrare, *sembler* **18**

Seminare, *semer* **100**

Semplice, *simple* **14**

Sempre, *toujours* **14,** da sempre : *depuis toujours* **98**

Seno, *sein* **28**

Sentire, *entendre, sentir* **146**

Senza, *sans* **12**

Seppellire, sepolto, *ensevelir* **54**

Sera (la), *soir* **20**

Serale, *du soir* **32**

Seta, *soie* **160**

Sfiancato, *lâche* **142** *(épuisé)*

Sfigurare, *faire piètre figure* **50** *(défigurer)*

Sfogar(si), *(s')épancher* **50**

Sfollare, *évacuer* **94**

Sfondare, *défoncer* **82** *(percer)*

Sgattaiolare, *s'esquiver* **48**

Sghignazzare, *ricaner* **62**

Sgombrare, *débarrasser, déménager* **74**

Sgomento, *désarroi* **130**

Sguardo, *regard* **60**

Sia, *soit* **14**

Sicuro, *sûr* **104**

Siepe, *haie* **152**

Sigillare, *sceller* **36**

Sigillo, *sceau* **36**

Sigla (la), *sigle* **106**

Simile, *semblable* **74**

Sinché, *tant que, jusque* **46**

Sindaco, *maire* **160**

Singhiozzo, *hoquet* **104** *(sanglot)*

Sistemare, *installer* **30** *(caser)*

Slacciare, *délacer* **34**

Slanciato, *élancé* **108**

Slealtà, *déloyauté* **128**

Smaniare, *s'agiter* **110**

Smarrire, *perdre, égarer* **98**

Smettere, *cesser (de mettre)* **140**

Smistare, *trier* **96**

Smorfia, *grimace* **152**

Smuovere, smossi, smosso, *remuer* **48**

Socchiudere, socchiusi, socchiuso, *entrouvrir* **16**

Soccorritore, *secouriste* **100**

Soddisfare, soddisfatto, *satisfaire* **148**

Soddisfazione, *satisfaction* **148**

Soffio, *souffle* **104**

Soffitta, *mansarde* **64**

Soffrire, sofferto, *ne pas supporter* **100** *(souffrir)*

Soldo, *sou* **70**

Solenne, *solennel* **130**

Solennemente, *solennellement* **154**

Solere, *avoir coutume* **144**

Solito, *habituel* **12,** al solito : *comme d'habitude* **78,** di solito : *habituellement* **78**

Solleticare, *chatouiller* **148**

Solo, *unique* **78,** *solitaire* **30,** da solo : *tout seul* **28**

Soltanto, *seulement* **12**

Somiglianza, *ressemblance* (v. somigliare) **16**

Sonno, *sommeil* **20**

Sono, *je suis* **12**

Sorpresa, *surprise* **76**

Sorriso, *sourire* (v. sorridere) **88**

Sospingere, sospinsi, sospinto, *pousser* **12**

Sottana, *jupe, jupon* **142**

Sotterrare, *enterrer* **52**

Sottile, *fin, mince* **88** *(subtil)*

Spaccare, *fendre* **136**

Spaesato, *dépaysé* **94**

Spalla, *épaule* **48**

Sparare, *tirer avec une arme* **46**

Sparo, *coup de feu* **134**

Spargere, sparsi, sparso, *répandre* **130**

Spavento, *frayeur* **22**

Spaventoso, *effrayant* **22**

Spazio, *espace* **60**

Specchio, *miroir* **62**

Spegnere, spensi, spento, *éteindre* **92**

Sperare, *espérer* **16**

Sperdere, spersi, sperso, *éparpiller, perdre* **100**

Spesa, *dépense, dépens* **22** *(courses)* (v. spendere)

Spesso, *souvent* **28**

Spia (la), *espion* **92**

Spiacere, *déplaire* **86**

Spiaggia, *plage* **86**

Spiegare, *expliquer* **28** *(déplier)*

Spietato, *impitoyable* **132**

Spigolo, *angle* **92**

Spingere, spinsi, spinto, *pousser* **116**

Spogliarsi, *se déshabiller* **34-106**

Spola, *navette* **16**

Sporcare, *salir* **114**

Sporger(si), sporsi, sporto, *(se) pencher* **120**

Sposarsi, *se marier* **30**

Sposo, *époux* **158**

Spostamento, *déplacement* **92**

Spostare, *déplacer* **104**

Spremere, *presser, extraire* **32**

Squittire, *crier, glapir* **88**

Staccare, *détacher* **154**

Stanare, *dénicher* **108**

Stanchezza, *fatigue* **104**

Stanco, *fatigué* **76**

Tascabile, *de poche* **92**

Tavola, *table* **14**

Tavolo, *table* **66**

Tedesco, *allemand* **60**

Tela, *toile* **70**

Temere, *craindre* **110**

Temibile, *redoutable* **132**

Tenda, *rideau* **120**

Tendere, tesi, teso, *tendre* **114**

Tendine, *tendon* **100**

Tenere, tenni, tenuto, *tenir* **12**

Tenerezza, *tendresse* **150**

Tesoro, *trésor* **12**

Testa, *tête* **54**

Testardo, *têtu* **74**

Testimone, *témoin* **50**

Tetto, *toit* **20**

Tifoso, *supporteur* **22**

Timore (il), *crainte* **48**

Toccare, *toucher* **20**, *échoir* **114**

Togliere, tolsi, tolto, *ôter* **64**

Togliersi di mezzo, *débarrasser le plancher* **118**

Tondo, *rond* **100**

Torcere, *tordre* **66**

Torcia, *torche* **142** *(cierge)*

Tornare, *revenir* **16**, (a) *se remettre à* **54**, *redevenir* **96**

Tovaglia, *nappe* **52**

Tra, *entre* **12** *dans* **12**

Tradimento (il) , *tromperie* **148** *(trahison)*

Trafelato, *essoufflé* **122**

Traforato, *perforé* **106**

Tranne, *sauf* **92**

Trarre (traere) trassi, tratto, *tirer* **106-142**

Trascurare, *négliger* **98**

Trasformare, *transformer* **106**

Trattenere, *retenir* **104**

Tratto, *espace* **48,** ad un tratto : *tout à coup* **76** *(trait)*

Travestirsi da, *se déguiser en* **62**

Tre, *trois* **32**

Tremare, *trembler* **104**

Tremito, *tremblement* **102**

Tremolante, *tremblant* **114**

Tremulo, *tremblant* **108**

Treno, *train* **16**

Trincea, *tranchée* **94**

Troppo, *trop* **14**

Turbare, *troubler* **94**

Turchino, *bleu* **142**

Tuttora, *encore, toujours* **42**

U

Ubbriacar(si), *(s')enivrer* **58**

Uccidere, uccisi, ucciso, *tuer* **136**

Udire, *entendre* **42**

Ufficiale, *officier* **90**, *officiel* **128**

Ufficio, *bureau* **32**

Uguaglianza, *égalité* **16**

Uguale, *égal* **12**

Ulivo, *olivier* **48**

Ultimo, *dernier* **12**

Umidità, *humidité* **18**

Umido, *humidité* **18** *(humide)*

Unghia (la), *ongle* **48**

Uomo (pl uomini), *homme* **50**

Uovo, *œuf* **146**

Urtare, *heurter* **92**

Usare, *utiliser* **14**

Uscio (il), *porte* **42**

Uscire, *sortir* **114**

V

Valere, *valoir* **74**

Valigia, *valise* **12**

Valutazione, *évaluation* **134**

Vanga, *bêche* **100**

Impression réalisée sur Presse Offset par

BRODARD & TAUPIN

GROUPE CPI

26861 – La Flèche (Sarthe), le 07-01-2005
Dépôt légal : août 1986
Suite du premier tirage : janvier 2005

POCKET – 12, avenue d'Italie - 75627 Paris cedex 13
Tél. : 01.44.16.05.00

Imprimé en France